KB117234

2000년 2월, 이케다 다이사쿠 회장과 로트블랫 박사

지구 평화를 향한 탐구

이 책은 일본 월간지 〈우시오〉 2005년 7월호부터 2006년 2월호에 게재한 책 제목과 같은 대담에 공개하지 않은 2개 장을 추가해 재구성하여 수정하였습니다. 편집 작업을 통해 책의 인용문에 표시한 주석 및 줄바꿈 등이 바뀐 부분도 있습니다.

이케다 다이사쿠 × 로트블랫

지구 평화를 향한 탐구

핵무기와
전쟁이 없는 세계를
이야기하다

중앙books

서문

오늘날의 세계는 내가 태어난 때와는 많이 다르다. 나는 과학이 이러한 변화에 크게 공헌했다고 생각한다.

내가 다섯 살 때, 제1차 세계대전이 일어났다. 가난과 고통 속에서 유소년기를 보낸 나는 매일 겪는 굶주림과 전염병을 비롯해 불결함과 무지함, 잔학함 등 인생의 숱한 고난을 덜어주는 수단으로서 과학에 대한 관심이 매우 깊어졌다. 과학은 그 가혹한 시대에 나를 지탱해주는 꿈이었다.

나는 지금 어린 시절의 꿈을 되돌아보면서 그중 많은 것이 실현된 사실에 매우 기쁘다. 수많은 어린이의 목숨을 앗아간 전염병도 이제는 과거의 일이 되었다. 농업기술의 향상으로 적어도 이론적으로는 세계의 인구를 부양하는 일이 가능케 되었다. 더욱이 공장이나 채굴장에서 이용하는 새로운 기술은 힘든 일을 많이 없애는 동시에 안전기준을 높였다. 과학기술의 진보는 또한 의식주 획득이라는 일상적인 일의 수고를 줄여 주었다. 그리고 통신과 정보의 진보 향상은 더 많은 사람에게 문화적 업적을 접할 수 있는 기회를 주었다.

대체로 사람들은 요즘 과학의 발전 덕분에 한층 더 건강해지고 부유해지고 더 높은 수준의 교육과 더 많은 정보를 얻을 수 있게 되었다. 사람들이 평화로운 세계에서 살 수 있는 준비가 되어 있다. 그러나 슬프게도 나는 과학 응용이 불러일으킨 부정적인 측면의 영향도 몇 가지 지적하지 않을 수 없다.

첫째, 과학의 혜택이 모든 사람에게 골고루 돌아가지는 않는다. 선진국과 개발도상국의 차이는 심해지고 각국의 국내 상하계층의 차이도 벌어지고 있다. 게다가 부유한 나라와 여러 나라의 부유층은 높은 생활수준에도 만족하지 못하고 에너지의 과소비와 천연자원 낭비를 불러일으켰다. 다양한 과잉 행동은 괴멸적인 환경 악화를 일으키고 있다. 특히 과학과 기술이 대량살상무기의 개발과 생산에 응용되었기 때문에 인류 존속에 진정한 위협이 발생하고 있다.

환경에 대한 위협, 인류 존속에 대한 위협은 대부분 과학자의 연구에 따른 결과물이었다. 특히 대량살상무기의 경우 과학자들은 그 일을 자국의 방위를 위해 확실한 필요성에 쫓겨 한 일이 아니었다. 이 폭거는 단지 비대해진 이기심을 만족시키기 위해 혹은 새로운 과학개념을 탐구해 강한 고양감을 경험하기 위한 폭거이기에 과학의 타락을 보여주는 한 예다. 이것은 사회적으로 가장 존경받는 어느 집단의 구성원들이 고발한 엄격하고도 정당한 내용이다.

인간 사회가 자신을 파멸하는 어리석은 행동으로 이끌 가능성은 20세기의 또 다른 소름 끼치는 행위인 홀로코스트(대량학살)로 예증되었다. 이 집단살육(제노사이드)은 어느 과학자가 발명한 화학물질을 이용해 과학의 정밀함을 가지고 수행한 것이다. 또한 가장 문명국 중 한 나라가 저지른 만행이다. 대량파괴무기와 대량살육은 인간의 정신이 빠질 수 있는 광기, 사회가 전락할 수 있는 타락의 끝을 보여주는 실증이다. 참으로 걱정스러운 점은 그 악이 지금도 우리와 동거하고 있다는 사실이다.

이러한 인류사의 공포스러운 시기에도 불구하고 나는 인류의 타고난 선량함을 믿는다. 이것은 청년 시절 이후, 내 기본적인 신조로 지금까지 말한 개인적인 비극을 포함하여 어떠한 사건에도 이 신조는 흔들리지 않았다.

우리가 역사에서 배우고 전쟁이 없는 세계를 향해 점점 다가가고 있다는 징후도 실제로 볼 수 있다. 예를 들어 프랑스와 독일은 다른 유럽연합(EU)의 여러 나라와 마찬가지로 과거에는 불구대천(不俱戴天)의 적대국이었다. 거기에는 아직도 분쟁이 존재한다고 해도 유럽연합의 구성국은 모두 각각의 과제를 평화적 수단으로 해결하는 방법을 배우고 있다. 똑같은 일이 다른 대륙에서도 일어나고 있다. 우리는 괴로워하면서도 전쟁이 어리석은 행위라는 점을 인식하고 천천히 대화하는 법을 배우고 있다.

그래도 '전쟁이 없는 세계'의 개념이 보편적으로 받아들여지려면 '교육'이라는 과정이 필요하다. 우리는 전쟁을 용인하는 문화를 근절해야 한다. 우리는 다른 나라 사람들의 안전을 해치는 형태로 자국의 안전보장을 추구하는 사고법을 바꿔야 한다. '교육'에는 두 가지 방향의 노력이 필요할 것이다. 첫째는 '세계 규모의 안전보장'을 전제로 하는 새로운 안전보장에 대한 대처이고, 둘째는 '인류에 대한 충성심'이라는 새로운 충성심을 키우는 것이다.

'지구 규모의 안전보장'을 위해서는 첫째, 대량파괴무기를 감축해 인류에 대한 주요 위험을 줄일 필요가 있다. 중요한 점은 이러한 '금지'를 전 세계적으로 보편적인 것으로 만드는 일이다. 몇몇 국가가 다른 모든 국가에는 자제를 촉구하면서 스스로는 핵무기를 근대화하고 자국의 군사 독트린(기본정책) 속에 감추는 행위와 같은 위선을 용인하면 안 된다. 우리는 어떠한 경우에도 그러한 무기를 사용하면 인류 전체를 대상으로 한 범죄가 된다는 사실을 인류가 공유하는 도의심으로 강하게 비난하는 결의문을 내야 한다.

우리는 대부분 과학적 연구가 낳은 기술의 진보에 따라 더욱 상호의존이 진행되는 국제사회에 살고 있다. 우리는 모두 사회에 대한 책무를 지지만 과학이 근대사회에 미치는 지배적인 역할에 따라 그 책임은 과학자들에게 더 무겁게 전가되고 있다. 과학은 신뢰할 수 있는 것으로 사회의 존경을 되찾아야 한다. 과학은 자신의 견해에 관해 공공의 신뢰를 회복해야 한다. 과학자들은 자신의 행동에 책임을 지면서 인간적인 면을 보여주고 창조성을 자비심으로 연결할 수 있다는 것, 상상력을 자유자재로 발휘하는 것이 가능할 수 있다는 것을 증명해야 한다.

의사를 위한 도의적인 행동 규범은 히포크라테스 시대 이후 거의 2500년간에 걸쳐 존재했다. 의사들이 선언한 '히포크라테스선서'는 환자들의 목숨이 말 그대로 의사의 손에 달린 시대에 반드시 필요한 것이었다. 지금 과학자들은 인류에 대해 어느 정도 이와 비슷한 역할을 획득했다. 그러한 선서의 하나로 학생들을 포함한 젊은 연구자들의 회의인 '퍼그워시회의 학생그룹'에서 채택한 선서에는 이렇게 씌어 있다.

"나는 더 나은 세계를 위해 행동할 것을 약속한다. 그것은 과학과 기술이 책임 있는 형태로 사용되는 세계다. 나는 자신이 받은 교육을 인류와 환경을 해치기 위해 의도된 어떠한 목적으로도 사용하지 않겠다. 나는 우리의 생애를 통해 어떠한 행동을 하기 전에 자신이 하는 일이 갖는 윤리적 영향성을 고려한다. 내게 맡겨진 요구가 아무리 크더라도 나는 개인의 책임이 평화를 위한 첫걸음임을 알기 때문에 이 선서에 서명한다."

나는 96세가 되지만 인생을 대부분 핵무기 폐기를 위해 그리고 최종적으로는 전쟁을 완전히 없애기 위해 바쳤다.

50년 전, 나는 알베르트 아인슈타인과 버트런드 러셀을 비롯해 과학자 8명과 함께 핵전쟁의 비참한 결과를 경고하는 선언서에 서명했다. 그 성명문인 '러셀·아인슈타인 선언'은 아인슈타인이 마지막으로 남긴 공적 문서였다.

지금 96세인 나는 오직 홀로 살아남은 서명자다. 그렇기 때문에 나는 그의 메시지(선언의 내용)를 추진하는 일을 내 의무로 느끼고 있다. 아인슈타인을 비롯해 동시대 사람들이 50년 전에 쓴 내용 중 "우리는 새로운 방식으로 사고하는 법을 배워야 한다"는 말은 그때와 마찬가지로 오늘날에도 해당한다.

이 '선언'에 서명했을 때, 나는 가장 나이 어린 서명자였다. 이 대담집은 나보다 젊고 일찍이 세계평화를 위해 오랜 세월에 걸쳐 활동한 이케다 다이사쿠 회장과 함께 협력해 완성한 책이다. 인류가 공유하는 인간성을 상기시키고 또 지금의 차이를 잊는 일이 과연 가능한가. '지구 규모의 안전보장'에 필요한 방법과 '인류에 대한 충성심'을 몸에 익힐 수 있는가.

나는 이케다 다이사쿠 회장과 함께 도의적이고 책임 있는 과학의 사용에 관한 경험과 확신을 다음 세대에 물려주고자 그 방도 중 하나로서 이 대담집에 뛰어들었다.

2005년, 런던에서

조지프 로트블랫

서문

"전쟁은 인간을 어리석은 동물로 만들고 마는 힘이 있다. 야만을 증오한 사람이 스스로 야만스러운 행위를 일삼는다. 거기에 전쟁의 광기가 있다."

로트블랫 박사의 잊을 수 없는 말이다. 1989년 오사카에서 처음 뵈었을 때 하신 말씀이다.

봄바람처럼 온화한 얼굴을 한 박사가 그때만큼은 노여움을 감추지 않았다.

나치스의 홀로코스트(대량학살)로 가장 사랑하는 부인과 생이별을 해야 했던 슬픔, '맨해튼계획'에서 도중에 빠져나왔다고는 하지만 원폭개발에 가담한 사실에 대한 자괴감.

제2차 세계대전은 박사의 깨끗한 마음에 지울 수 없는 상처를 남겼다.

박사가 펼친 진정한 인생의 투쟁은 그때부터 시작됐다.

파괴나 살육을 위한 과학이 아니라 인간의 행복을 위해 공헌하는 과학의 길을 찾아 암치료 연구 등에 힘쓰는 한편 평화활동에 온몸을 바쳤다.

전쟁으로 겪은 가장 큰 비애를 평화를 위한 최대의 정열로 바꾸어 핵폐기를 위한 행동으로 승화시킨 것이다.

박사가 반평생을 바친 평화를 위한 과학자 단체 '퍼그워시회의'가 발족한 때는 1957년이다.

그해 일본에서 핵무기를 '절대악'으로 지탄하고 폐기를 '첫째 유훈'으로서 청년에게 의탁한 분이 바로 나의 스승 도다 조세이(戸田城聖) 창가학회 제2대 회장이었다.

두 사람은 서로 만나지 못했지만 핵무기의 존재를 용납할 수 없다는 점에서 보잘것없는 이데올로기의 대립을 뛰어넘어 깊이 일치했다.

그 역사의 부합과 더불어 박사는 우리 국제창가학회(SGI)의 '민중이 펼치는 평화운동'에 남다른 공감을 보내주셨다.

"우리는 여러분과 함께 공통 목적을 향해 나아가고 있습니다. 평화를 위한 노력은 그야말로 투쟁이지만 앞으로도 서로 협력하면서 이 투쟁을 펼쳐 나아가고 싶습니다."

1995년에 '노벨평화상'을 받으신 뒤에도 박사는 동분서주하는 나날을 보냈다.

'러셀·아인슈타인 선언'의 첫 서명자이자 마지막 생존자라는 사명감과 책임감이 박사를 움직이게 했음이 틀림없다.

2000년에 오키나와에서 다시 만났을 때에도 '나는 피로한 것을 자신에게 용납하지 않는다'며 더욱 투지를 불태우셨다.

편지를 주고받으면서 나눈 대담도 '선언의 정신을 차대를 짊어질 젊은이들에게 전하고 싶다'는 박사의 강한 의지에서 시작했다.

평화의 횃불을 어떻게 차대에 전할까, 만년에 박사의 가장 큰 관심사는 청년과 교육이었다.

감사하게도 캘리포니아주에 있는 내가 창립한 미국소카대학교(SUA)를 방문해 강연도 해주셨다.

2001년 10월, '9·11' 테러사건의 여파가 계속되는 상황이었다.

런던에서 떠난 긴 여정으로 몸 상태가 좋지 않은 듯했다. 차로 이동할 때에도 런던에서 가져온 약을 드셨다고 한다. 그러한 속에서 92세의 박사가 목소리를 쥐어짜내듯 말씀하신 한마디 한마디는 학생들의 마음에 '평화의 혼'을 강하게 각인시켰다.

이 책의 제목인 '지구 평화를 향한 탐구'는 박사의 신념이 담긴 투쟁에 경의를 표해 이때의 강연 주제를 그대로 붙인 것이다.

'이케다 회장과 나눈 대담을 통해 평화에 대한 자신의 심정을 모두 이야기하고자 한다'는 말 그대로 박사는 시간이 허락하는 한 혼신의 힘을 쏟으셨다.

대담집의 퇴고작업을 모두 마친 때는 2005년 8월 초순이었다. 박사가 펼친 평화행동의 원점이 된 히로시마와 나가사키에 원폭이 투하된 지 60년을 맞은 여름이었다.

그달 31일, 박사는 천수를 다하여 런던에서 향년 96세의 나이로 편안히 서거하셨다. 격동의 1세기를 엄연히 이겨낸 위대한 드라마였다.

처음 만난 추억이 새겨진 오사카에 6년 전, 박사 부부를 기리는 벚나무를 심었다. 두 그루의 벚나무는 올봄에도 지난날 박사의 얼굴빛을 떠올리게 하는 은은한 분홍빛의 아름다운 꽃을 피웠다.

나의 스승이 서거한 때는 벚꽃이 난만한 4월의 봄날이었다. 어느 날, 스승은 이렇게 외치셨다.

"전쟁을 없애려면 사회제도나 국가체제를 바꾸는 것만으로는 안 된다. 근본인 '인간'을 바꾸는 수밖에 없다. 민중이 강해지는 수밖에 없다. 민중이 현명해지는 수밖에 없다.

그리고 전 세계의 민중이 마음과 마음을 합쳐 나아가는 수밖에 없다!"

이 스승의 외침은 '러셀·아인슈타인 선언'이 관철하는 '인간성을 잊지 말라'는 메시지에도 통한다.

2007년, '퍼그워시회의' 발족 50주년과 '원수폭금지선언' 발표 50주년에 이러한 형태로 대담집을 발간한 데에는 의미가 아주 깊다.

실로 로트블랫 박사의 '유고'가 된 이 책은 일본어판뿐만 아니라 영문판 간행도 예정되어 있다.

세계의 많은 청년이 이 책을 읽고 박사의 숭고한 생애를 생각하면서 '핵무기와 전쟁이 없는 세계'의 건설이라는 미증유의 도전에 잇따라 일어서서 나아가기를 바라 마지않는다.

2006년 5월 3일

이케다 다이사쿠

차례

이케다 다이사쿠 × 로트블랫

제1장

러셀·아인슈타인 선언

'핵무기 없는 세계' '전쟁이 없는 세계'를 향해

이케다 저는 지금까지 세계에 위대한 '평화의 발자취'를 새긴 많은 분과 거듭 대화를 나누었습니다.

그중에서도 로트블랫 박사와 세계(평화)를 둘러싼 이번 대화에는 각별한 마음이 듭니다.

로트블랫 이케다 SGI 회장과 대담을 나눌 수 있기를 오랫동안 기다렸습니다. 지금 이렇게 실현되어 감개무량합니다.

이케다 박사는 20세기라는 '전쟁과 폭력의 세기'에 있는 힘을 다해 평화를 위한 투쟁을 관철하신 '용기와 정의에 불타는 사람'입니다.

저는 그 숭고한 생애와 사상을 남김없이 후세에 전하고 싶습니다. 박사의 영지와 비전이야말로 인류가 21세기를 '평화의 세기'로 전환하는 데 귀중한 '지표'가 되리라 생각합니다.

로트블랫 이케다 회장은 저보다 훨씬 젊고 에너지가 굉장합니다. 우리의 목표를 실현하기 위한 힘과 결의로 가득 찬 인물로 전 세계에 잘 알려져 있습니다.

그중에서도 저는 그러한 사실을 가장 높이 평가하는 사람 중 한 사람입니다. 이케다 회장은 세계적인 '평화의 리더'이자 '평화의 투사' 그리고 '평화의 대사'입니다.

이케다 황송합니다. 저는 어찌 되었든 박사야말로 위대한 '평화의 사자(獅子)'입니다.

박사는 2000년 2월, 제가 창립한 도다기념국제평화연구소[1]가 오키나와에서 개최한 국제회의[2]에 참석하고자 멀리서 달려오셨습니다.

그때, 도다기념국제평화연구소의 제1호 '도다기념평화학상'을 받고 기념연설에서 '일본은 '핵무기 폐기'를 위해 앞장서주기 바란다'고 힘주어 말씀하신 모습을 지금도 잊을 수 없습니다.

박사의 '사자후(獅子吼)'에는 전쟁에 대한 증오를 비롯해 분노,

슬픔, 통곡이 있었습니다. 그리고 전쟁을 평화로 전환하려는 강한 신념과 의지가 있었습니다. 또 그것은 위기를 마주한 인류에게 보내는 경종이기도 했습니다.

오키나와에서 우리는 평화를 위한 마음을 모아 후세의 사람들을 위해 거듭 대화하자고 약속했습니다. 그 약속이 지금 이렇게 실현되어 이보다 기쁜 일은 없습니다.

로트블랫 저는 이케다 회장에게 특별한 부탁이 있습니다. 지금 세계는 매우 어려운 상황입니다. 인류는 이른바 폐색상황에 놓여 있습니다. 이 상태에서 어떻게든 하루빨리 빠져나와야 합니다.

회장이 이를 위한 세계적인 지도력을 발휘해 확실한 세계평화를 구축하는 데 필요한 변혁을 일으켜주기 바랍니다. 지금 중요한 임팩트를 줄 수 있는 능력 있는 분은 이케다 회장이라고 생각하기 때문입니다.

이케다 깊은 기대에 감사합니다. 저도 최선을 다하겠다고 결의합니다.

'핵무기 없는 세계' '전쟁이 없는 세계'로 나아가는 길은 21세기에 들어와 더욱더 오리무중(五里霧中)이 되어버린 듯합니다.

로트블랫 박사는 2002년 5월, 핵전쟁방지국제의사회(IPPNW)[3] 세계회의의 강연에서 '핵무기 완전 폐기운동은 존망이 걸린 위급한 상황으로 치닫고 있다'고 재차 강한 위기감을 표명하셨습니다.

핵확산의 위협은 대대적으로 언급되지만 핵무기 자체의 본질적인 위협은 그다지 거론되지 않습니다.

핵보유국에서는 당장 핵군축을 추진하여 일정한 기간 내에 핵무기를 없애려는 정치적 의사가 느껴지지 않습니다. 오히려 '안전보장'이나 '위기관리'라는 이름 아래 호전적인 분위기마저 강해지고 있습니다.

핵무기가 생긴 이래, 60년의 역사가 말해주는 사실은 '핵무기가 존재하는 한 반드시 확산된다'는 사실입니다. 1945년 이후, 핵무기 확산은 1949년에 소련이 두 차례 핵실험을 한 이후 서서히 진행되었습니다. 핵확산금지조약(NPT)[4]이 존재함에도 말입니다.

핵무기를 보유하는 나라가 있는가 하면 보유를 인정하지 않는 나라가 있습니다. 원리적으로 생각해보면 이 상태는 불평등하고 불안정하기에 영속적일 수 없습니다.

크게 보면 변화의 방향은 두 가지밖에 없습니다. 전 세계에 핵무기가 확산되느냐 아니면 모든 나라가 폐기하고자 움직이느냐 입니다.
전자는 곧 인류가 파멸에 이르는 길입니다. 우리는 후자를 선택해야 합니다. 선택의 어려움 때문에 생각하는 것을 멈추면 안 됩니다. 생각하는 용기와 행동하는 용기를 발휘해야 합니다.
로트블랫 말씀하신 대로입니다. 인류가 파멸의 길을 피하려면 세계평화를 확실히 실현하기 위한 수단을 선택하는 일 외에는 없습니다.
세계평화에 대한 생각은 오랜 세월 동안 고대 로마의 격언 '평화를 바란다면 전쟁을 준비하라'에 담긴 사고가 지배적이었습니다. 그것을 생각하면 지금 사람들의 태도는 놀랄 일이 아닐지도 모릅니다.
그러나 역사를 통해 전쟁에 대한 준비가 대체로 평화가 아닌 전쟁을 불러왔다는 점은 틀림없는 사실입니다. 그럼에도 불구하고 우리는 이러한 사고방식을 믿고 있습니다.
지금 인류가 제3의 천년기에 살아남으려면 이 고대 로마의 격언을 '평화를 바란다면 평화를 준비하라'는 격언으로 고쳐 써야 합니다.

우리 한 사람 한 사람이 '인류가족'의 한 사람으로서 그 속에서 삶을 누리고 있습니다. 그러므로 이 인류공동체를 존속시킬 의무와 책임이 있다는 점을 결코 잊으면 안 됩니다.

두 '선언'에서 바라본 '인간성'에 대한 관점

이케다 올해는 (2005년) 박사가 서명한 '러셀·아인슈타인 선언'[5] 50주년이자 히로시마와 나가사키에 원폭이 투하된 지 60년이 됩니다.

우리는 이때를 인류에 대한 책임을 완수하는 큰 전환점으로 삼아야 합니다.

로트블랫 '러셀·아인슈타인 선언'은 임박한 핵전쟁 위기를 회피하기 위한 방법을 서로 이야기하는 회의에 참석하도록 과학자들에게 호소한 선언이었습니다.

더불어 인류를 존속시키기 위해 모든 시민이 해야 할 의무에 관해 사람들의 주의를 환기시켰습니다.

전쟁 그 자체가 인류를 위협하는 이상 전쟁 그 자체를 완전히

'러셀·아인슈타인 선언' 발표 기자회견(1955년 7월).

없애야 합니다. 선언은 "우리는 인류 구성원으로서 인류에게 다음과 같이 호소한다. 여러분의 인간다움을 상기하라. 그런 다음에 나머지는 모두 잊어버려라. 만약 그렇게 할 수 있다면, 새로운 낙원으로 향하는 전망이 열릴 것이다. 만약 그렇게 할 수 없다면, 인류 전체가 멸종당할 위험이 여러분 앞에 다가오게 될 것이다" 하고 엄중한 경고로 끝맺습니다.

이케다 매우 유명한 한 구절입니다.

전쟁이 없는 세계로 나아가는 길을 개척하려면 '군사와 경제' '군사와 과학'의 관계 등에 관해 구조적인 분석은 물론 군사력에 의지하는 '인간이라는 존재' 그 자체를 깊이 생각해야 합니다.

왜냐하면 '군사력'을 전제로 한 정치학과 경제학, 과학에 다른 의견을 제기하려면 그것들이 놓치고 있는 요소, 다시 말해 '인간성'이라는 관점이 중요하기 때문입니다.

'러셀·아인슈타인 선언'의 위대함은 이 '인간성'에서 출발했다는 점에 있습니다.

선언한 지 2년 뒤, 나의 스승인 도다 조세이 제2대 회장[6]은 '원수폭금지선언[7]'을 발표하셨습니다. 이 스승의 선언 또한 핵무기를 '인간성'의 차원에서 통찰해 규탄했습니다. 핵무기를 인간 생명에 숨어 있는 '살인' 충동의 산물로 간주하고 '절대악'으로 보았습니다.

로트블랫 핵무기에 대한 대응에는 두 가지가 있습니다. 첫째는 법률적인 접근이고, 둘째는 도의적인 접근입니다. 후자가 종교인으로서 도다 회장이 하신 대응이라고 생각합니다. 도다 회장의 행동은 옳다고 생각합니다.

이케다 감사합니다. 박사가 평가를 해주시니 이보다 더한 영광은 없습니다. 저는 '러셀·아인슈타인 선언'의 50주년을 맞아 이 선언이 실현되기까지의 과정에 관해 꼭 여쭙고 싶습니다.

선언을 발표한 때는 1955년 7월 9일이었지요.

그때의 역사를 보면 전해인 1954년 1월에 미국이 '대량보복전략'[8]을 발표하고 3월에 비키니환초[9]에서 히로시마형 원폭보다 1000배의 파괴력을 가진 수소폭탄을 실험했습니다. 소련은 이미 1953년에 수소폭탄을 실험했고, 1955년 2월에는 영국도 수소폭탄 제조를 시작했습니다. 그해 5월에는 북대서양조약기구(NATO)[10]에 대항하여 공산 진영이 바르샤바조약기구(WTO)[11]를 결성했습니다.

선언은 이렇듯 핵확산의 속도가 점점 긴박해지는 속에서 발표된 것이군요.

로트블랫 맞습니다. 선언이 만들어지기 시작할 무렵 저는 버트런드 러셀[12] 경과 연락을 주고받았습니다. 저는 그에게 핵전쟁이 불러일으킬 비참함을 말했고, 그는 그 내용을 1954년, 크리스마스 때 어느 방송 프로그램에서 말했습니다.

러셀 경은 특히 전 세계의 일반 시민들이 열핵(수소)폭탄[13]의 출현으로 핵전쟁의 결말이 얼마나 무서운 것인지 알기 바랐습니다.

이케다 러셀 경이 한 것이 '인류의 위기'라는 주제의 스피치였죠. 그것이 나중에 '러셀·아인슈타인 선언'의 기초가 되었다고 들었습니다.

로트블랫 그렇습니다. 이 프로그램에 대해 영국에서는 일반 시민들이 많은 호응을 나타냈습니다. 그리고 많은 사람이 과학자가 단결해 매우 심각한 사태에서 어떻게든 핵전쟁을 막을 방법을 찾아내길 바랐습니다.

러셀 경은 정치가나 과학자 그리고 일반 시민에게 핵무기의 위험성을 더욱 알릴 필요가 있다고 느꼈습니다. 그리고 힘이 있는 외침으로써 영향을 주기 위해서는 노벨상 수상자를 포함한 세계적인 과학자의 서명이 필요하다고 생각했습니다. 또 당시 과학의 역사를 통틀어 가장 위대한 과학자가 바로 알베르트 아인슈타인[14]이었습니다.

그래서 러셀 경은 아인슈타인에게 서명을 부탁하기로 마음먹고 초고를 마친 성명 원고를 비롯해 서명을 의뢰할 과학자 명단과 함께 그에게 편지를 썼습니다.

이케다 러셀 경의 편지와 이에 대한 아인슈타인 박사의 답장은 이전에는 공개되지 않았습니다. 주고받은 그 미공개 편지가 로트블랫 박사가 주신 '러셀·아인슈타인 선언'의 복제판 안에 보관되어 있어, 저는 감동했습니다.

아인슈타인 박사의 답장에는 "4월 5일에 편지를 보낸 당신에게 감사합니다. 기꺼이 훌륭한 성명에 서명하고 당신이 정한 서명자 선택에도 동의합니다" 하고 씌어 있었습니다.

로트블랫 예. 매우 극적인 전개였습니다.

1955년 4월 18일의 일입니다. 러셀 경은 로마에서 파리로 향하는 비행기 안에서 '방금 아인슈타인 박사가 사망했다는 소식이 있었다'는 기장의 안내방송을 들었습니다.

러셀 경은 큰 충격을 받고 실망했습니다. 아인슈타인의 서명이 없다면 성명 발표 자체가 의미도 권위도 없어져 버리는 게 아닌가 생각했기 때문입니다.

그러나 러셀 경이 파리의 호텔에 도착하자 런던에서 보낸 아인슈타인의 편지가 와 있었습니다. 그리고 편지에는 이케다 회장이 소개한 대로 성명의 초고 원고와 서명자 명단에 동의한다고 씌어 있었습니다.

이케다 다시 말해 그것은 아인슈타인 박사가 살아 있을 때 쓴, 아마도 마지막 편지로 돌아가신 뒤에 도착한 실로 인류에게 보내는 유언이었다는 말씀인 것이군요. 그 깊은 의미를 잘 알았습니다.

그럼 선언을 최초로 기획한 러셀 경에 관해서는 어떤 추억이 있습니까?

로트블랫 러셀 경은 늘 새로운 아이디어를 생각하는 사람이었습니다. 그가 지금 무엇을 생각하는지 아무도 예측하지 못했습니다. 종종 엉뚱한 말을 해서 다른 사람을 놀라게 했지만 결국 그의 생각이 옳았다는 경우가 자주 있었습니다.

그는 자주 이렇게 말했습니다. "틀에서 벗어나는 것을 두려워해서는 안 된다. 왜냐하면 지금 상식이라고 알려진 것도 처음에는 모두 이상한 것이었으니까."

이케다 함축적인 말씀입니다. 러셀 경의 독창성이 느껴지는 일화군요.

로트블랫 예. 제가 처음 그와 만났을 때의 경험도 매우 극적이었습니다. 1954년의 일입니다. 3월에 미국이 첫 수폭실험을 한 직후였습니다.

방사성 강하물로 근처를 항해하던 일본의 제5후쿠류마루호[15] 승조원이 모두 피폭당해 한 분이 사망했습니다.

이 일이 수소폭탄을 알린 첫 사건이었습니다. 그때까지 수소폭탄에 대해 아무도 몰랐습니다. 그래서 BBC(영국 방송) 방송은 특별 프로그램을 방송하기로 결정했습니다.

조금 전에 말씀드린 크리스마스 때의 방송보다 반년 이상 이전의 다른 프로그램입니다.

프로그램은 서로 다른 관점의 발언으로 구성되어 저도 과학자로 참석했습니다. 여러 참석자 중 어떤 사람은 군사령관으로 군사적 가치를 강조하고 또 어떤 사람은 전략상의 중요성을 이야기했습니다. 그리고 다른 두 사람이 도의적인 문제를 논의했습니다. 그 두 사람 중 한 명이 러셀 경이었습니다.
저는 사람들이 이해하기 쉬운 말로 수소폭탄의 물리학적 원리를 설명해달라는 요청을 받았습니다. 러셀 경은 제 설명에 감동한 나머지 방송이 끝난 뒤, 모르는 사실을 많이 배웠다고 말했습니다. 이것이 러셀 경과 첫 만남입니다.

'피로한 것을 자신에게 용납하지 않는다'

이케다 잘 알았습니다.
그런데 '러셀·아인슈타인 선언'에는 11명의 서명이 있습니다. 일본에서는 유카와 히데키 박사[16]가 서명했습니다. 또 저도 친분이 있는 존경하는 라이너스 폴링[17] 박사의 이름도 있습니다.

로트블랫 선언을 발표할 당시 11명 중 두 사람을 제외하고 모두 노벨상 수상자였습니다.
그중 한 사람이 레오폴트 인펠트[18]입니다. 인펠트는 이 활동에 매우 적극적이고 더욱이 상대성이론에 관한 저작물을 아인슈타인과 함께 여러 번 낸 적이 있어 러셀 경도 아인슈타인도 그를 서명자에 포함시키고 싶어 했습니다.

또 한 사람은 11명 중에서 나이가 제일 어린 저였습니다. 저는 러셀 경에게 이렇게 말했습니다. "당신은 노벨상 수상자가 서명하기를 원하지만 나는 그렇지 않다. 그러니 내가 서명하면 안 된다" 하고 말입니다.

하지만 러셀 경은 이렇게 말했습니다. "당신도 반드시 노벨상 수상자가 될 것이다. 반드시 그렇게 될 것이다."

이케다 러셀 경의 탁월한 선견지명이었습니다. 로트블랫 박사는 그 말 그대로 1995년에 노벨평화상을 받았습니다.

로트블랫 그렇습니다. 그리고 결국 제가 가장 어렸기 때문에 서명자 중 지금까지 살아 있는 사람은 저뿐입니다.

그러므로 제게는 특별한 책무가 있습니다. 아니, 책무라기보다는 거의 사명이라고 하는 편이 좋을지도 모릅니다. 제 인생의 사명은 사람들에게 '선언'의 메시지를 계속 전하는 일입니다.

이케다 제게는 잊지 못할 로트블랫 박사의 한마디가 있습니다.

앞에서도 언급한 2000년, 오키나와에서의 일입니다. 제가 회견을 마치고 나서 "피곤하시지요" 하고 물었습니다. 박사는 그때 이미 91세였습니다.
하지만 박사는 의연하게 대답했습니다. "아니요. 저는 피로한 것을 제 자신에게 용납하지 않습니다."

로트블랫 그땐 정말 건강하고 힘이 넘쳤습니다.(웃음)
'선언'을 널리 알리는 사명을 다하려면 할 일이 너무 많아서 지칠 틈이 없었습니다.
하지만 95세 생일에 가벼운 뇌졸중을 앓고 난 뒤부터는 상황이 조금 바뀌었습니다. 역시 그 누구도 불사조는 아니라는 점을 알 수 있었습니다. 요즘에는 런던 시내에 있는 퍼그워시회의[19] 사무실보다 집에서 일하는 시간이 많아졌습니다. 빈번하게 전화가 와 지금도 꽤 분주한 나날입니다.

이케다 몸 상태가 좋지 않다는 소식을 듣고 걱정했습니다. 박사는 21세기의 인류에게 없어서는 안 될 '보배'와 같은 존재입니다. 저는 건강을 진지하게 기원했습니다.

로트블랫 감사합니다. 세계평화의 조류를 확고히 만들기 전까지, 제게는 아직 해야 할 일이 있습니다!

이케다 박사는 '영원한 청년'입니다. 사람은 사명을 자각하고 있는 한 생애 청년입니다.

선언에 서명한 사람 중 한 사람으로서 20세기를 대표하는 화학자 라이너스 폴링 박사도 아흔이 넘은 나이에도 '청년'의 기개를 떨쳤습니다.

제가 로스앤젤레스의 클레어몬트·매케나대학교에서 강연[20] 할 때, 91세의 폴링 박사가 강연의 강평자로서 멀리 샌프란시스코에서 일부러 달려와 주신 일은 잊을 수 없는 추억입니다.

박사와는 대담집《생명의 세기를 향한 탐구》도 발간했습니다.

폴링 박사는 건강법으로 비타민C 섭취를 추천한 것으로도 유명합니다.

로트블랫 그 일에 대해서는 약간의 일화가 있습니다. 어느 날, 라이너스 폴링이 런던에 있는 제 사무실로 찾아와 둘이서 함께 점심을 먹었습니다. 그때 저는 때마침 감기에 걸려 있었습니다. 폴링은 "감기에 걸렸는가? 비타민C는 먹고 있는가?" 하고 제게 물었습니다. 저는 "먹지 않았다"고 대답했습니다.

그러자 그는 30분간 비타민C에 관해 말하면서 어떻게 비타민C가 감기를 예방하는지 과학적 데이터와 함께 타이르듯 강의했습니다. 저는 납득을 하고 그 뒤로 비타민C를 섭취했습니다.

그로부터 9개월 정도 지나서 그가 다시 찾아와 제게 물었습니다. "비타민C는 먹고 있는가?" 저는 먹고 있다고 대답했습니다. "그 효과가 어떠냐"고 묻기에 "이번 겨울은 세 번이나 감기에 걸렸다"고 대답했습니다. 그러자 "그렇군. 도대체 얼마나 먹고 있느냐"고 물었습니다. 제가 "당신이 말한 대로 하루 100밀리그램씩 먹는다"고 대답하자 "그것으로는 턱없이 부족하다. 하루에 1000밀리그램은 먹어야 한다"고 말한 것입니다. (웃음)

이케다 흐뭇하다고나 해야 할지 과연 폴링 박사답다고 해야 할지 그 광경이 눈에 보이는 듯합니다.

우리 국제창가학회(SGI)는 폴링 박사의 과학과 평화를 위한 위대한 업적을 기리는 '라이너스 폴링과 20세기'전[21]을 폴링 박사의 가족 등과 협력하여 개최했습니다. 세계 각지에서 100만 명 이상이 관람하는 등 큰 반향이 일었습니다.

로트블랫 박사도 유엔 유럽본부에서 개최한 전시를 방문하셨습니다. 다시 한번 감사드립니다.

로트블랫 저도 폴링을 깊이 존경합니다. 폴링이 펼친 세계평화를 위한 공헌은 매우 귀중합니다. 폴링과 함께 오랫동안 활동했습니다. 폴링이 우리 세대의 위인 중 한 사람인 사실은 분명합니다.

이케다 이어서 아인슈타인 박사에 관한 질문이지만 로트블랫 박사는 만난 적이 있습니까?

로트블랫 아니요. 만난 적은 없습니다. 제2차 세계대전이 끝난 뒤, 저는 미국에서 '꺼림직한 인물'로 간주되었기 때문입니다. 스파이로 여겨진 겁니다.

이케다 맨해튼계획[22]에서 빠졌기 때문에 엄청난 의심을 받았군요. 그래서 미국에 사는 아인슈타인 박사를 만나러 갈 수가 없었군요.

로트블랫 맞습니다. 입국을 안 시켜줬습니다. 저는 미국에 가서 아인슈타인과 '선언'에 관해 이야기하고 싶었지만 미국 정부가 비자를 발급해주지 않았습니다.

아인슈타인의 고뇌와 갈등

이케다 위대한 인생에는 박해와 중상모략이 따르기 마련입니다. 그것이 역사에 흔히 있는 일이라고 할 수 있습니다. 어쨌든 로트블랫 박사가 지나온 세월을 되돌아볼 때, 아인슈타인 박사의 편지 두 통이 박사의 인생에 큰 영향을 미친 사실은 불가사의한 운명입니다.

한 통은 지금까지 들은 대로 선언에 동의하는 편지 그리고 다른 한 통은 아인슈타인 박사가 프랭클린 루스벨트[23] 대통령에게 나치스[24] 보다 먼저 원폭을 연구해 개발하도록 요청한 편지입니다.

로트블랫 박사가 '맨해튼계획'에 관여하게 된 큰 계기가 바로 이 편지였습니다.

로트블랫 아인슈타인은 자기 자신을 평화주의자라고 밝혔습니다. 그래서 평화주의자인 아인슈타인이 대량파괴무기의 개발을 요구하는 편지를 쓰리라고는 아무도 예기치 못했습니다. 그러나 아인슈타인의 평화주의는 '필요하다면 평화를 위해 싸운다'는 것입니다.

아인슈타인이 그런 편지를 쓴 것은 위대한 과학자인 동시에 우리가 사는 정치적 세계, 정치적 환경을 깊이 이해하고 거기에서 다른 사람이 받아들이지 못하는 생각에 이르렀기 때문입니다.

가령 1930년대 전반, 히틀러[25]가 집권하자, 아인슈타인은 히틀러가 세계에 끼칠 만할 믿기 어려울 만큼의 크나큰 위협을 이해하고 있었습니다. 아직 히틀러가 정권을 확립하는 초기였다고는 하지만, 만약 히틀러가 자기 생각대로 무엇이든 할 수 있도록 용인된다면 어떻게 될지 아인슈타인에게는 선명하게 보였습니다. 그리고 실제 그 예상대로 되었습니다.

아인슈타인은 "히틀러가 계획대로 할 수 있게 놔두면 안 된다. 필요하다면 무력을 써서라도 멈추게 해야 한다" 하고 말했습니다.

이케다 아인슈타인 박사는 자신이 이룬 업적으로 민족이나 국가를 초월해 인류를 책임져야 하는 존재였습니다. 그렇기 때문에 '전쟁과 평화'라는 인류의 근본적인 고뇌도 자신이 떠맡을 수밖에 없었습니다.

박사는 만년에 만일 다시 직업을 선택할 수 있다면 이번에는 대장장이나 보따리장수 아니면 등대지기가 되고 싶다고 말했습니다. 히로시마와 나가사키에 원폭이 투하된 소식을 듣고 '이런 일을 할 거면 과학자가 되는 게 아니었다'고 토로한 일화도 있습니다.

막중한 책임을 떠안은 아인슈타인 박사의 고독한 심연을 들여다보는 기분입니다.

로트블랫 물론 평화주의자가 군사력을 사용하고 싶다는 등의 말을 하는 것은 엄청난 사건입니다. 완고하게 자신의 신조를 따르는 사람이라면 받아들일 수 없는 일입니다.

그렇기 때문에 아인슈타인 박사는 평화를 추구하는 운동가들 사이에서 배신자로 불리며 평화주의 그룹에서 제외되었습니다. 모든 그룹에서 비판받았습니다.

하지만 결국 아인슈타인이 옳았다는 것이 증명되었습니다. 아인슈타인의 생각이 누구보다 옳았음이 판명된 겁니다.

우리는 여기에서 완고하게 원칙을 고수해 유연성을 잃으면 안 된다는 점을 배울 수 있습니다.

'정의로운 전쟁'은 있을 수 있는가

이케다 아인슈타인 박사의 고뇌는 '정의로운 전쟁은 있는가'라는 주제와 관련이 깊습니다.
제1차 세계대전 때, 줄곧 전쟁을 반대하다 투옥당한 러셀 경도 제2차 세계대전을 지지했습니다.
그러나 저는 '히틀러의 폭거를 보고도 아무것도 하지 않겠다는 것인가'라는 논리가 전후 60년 동안 종종 일어난 무력행사를 정당화하는 형태의 실례로 이용된 점에 주의해야 한다고 생각합니다.
나치스에는 아우슈비츠[26]가 상징하는 홀로코스트[27](대량학살)가 있고 일본에는 중국을 비롯해 아시아에 대한 무도한 침략이 있었습니다. 그러나 그들과 싸운 연합군도 드레스덴[28]과 도쿄, 오키나와 등에 무차별 폭격을 가하거나 히로시마와 나가사키에 원폭을 투하했습니다.
목적의 정당성은 수단의 정당성으로 담보되어야 하기에 '목적이 옳다면 어떤 수단을 써도 괜찮다'고는 할 수 없습니다.
그럼 '목적과 균형이 잡힌 수단'이라면 무력행사는 인정되는가, 이것이 이른바 '정전론(正戰論)'의 관점이지만 그래도 그 '균형점'을 누가, 어떠한 기준으로 판단할 것이냐는 문제가 남습니다.

로트블랫 박사가 지금까지 거듭 말씀하신 대로 제2차 세계대전에서 원폭을 사용한 사례는 일단 전투를 시작하면 개인이든 사회 전체든 이성적 판단이 쉽게 무너져 수십만 명을 죽이는 일도 '어쩔 수 없다'고 할 정도로 '균형점'이 크게 흔들리고 마는 사실을 보여주고 있습니다.

폭력이나 분쟁을 비폭력적으로 해결하지 못한 시점에서 그것은 이미 '실패'이므로 만일 폭거와 싸우기 위해 무력을 사용해야만 한다 해도 형제인 인간을 살육하는 점에는 변함이 없습니다.

물론 지금 말씀드린 점은 아인슈타인 박사에게도 로트블랫 박사에게도 자명한 일이었을 것입니다.

굳이 원폭에 관여할 수밖에 없던 갈등은 상상을 초월한 것이 있습니다.

그런 만큼 전쟁이 끝난 뒤, 대중매체들이 아인슈타인 박사를 핵무기를 만들어낸 장본인으로 취급한 일은 박사 자신도 견

디기 힘들었으리라 생각합니다.

로트블랫 아인슈타인은 자신이 직접 폭탄 개발에 관여했다고는 생각하지 않았습니다. 사람들은 폭탄을 아인슈타인의 업적이라고 말하는데 그 이유는 폭탄 개발 과정을 질량과 에너지의 관계를 나타내는 'E=mc²'이라는 유명한 공식을 사용해 설명하기 때문입니다.

이 공식은 아인슈타인의 상대성이론에서 나왔습니다. 그것은 어떤 특정한 상태에서 질량은 에너지로 또 에너지는 질량으로 변환할 수 있다는 것을 의미합니다. E는 에너지를, m은 질량을 의미하고 질량에 광속의 제곱값을 곱하면 그 질량의 에너지 값을 산출할 수 있습니다. 이것이 아인슈타인의 이론에서 나온 공식입니다.

그리고 원자폭탄은 이 공식을 실제로 응용한 최초의 산물입니다. 왜냐하면 원자폭탄은 작은 질량의 원자를 에너지로 변환한 것이기 때문입니다.

이케다 빛의 속도(c)는 진공상태에서는 1초당 약 30만 킬로미터로 나아간다고 할 때 에너지=질량*900억 제곱킬로미터/제곱초(E=mc²)가 됩니다. 다시 말해 작은 돌멩이에도 엄청난 에너지가 잠재한다는 말입니다.

마찬가지로 '생각하는 갈대(파스칼)'에 지나지 않는 인간에게도 무한한 힘이 있습니다. 실로 우주 법칙의 불가사의함과 다이너미즘을 느끼게 하는 공식입니다.

우주의 근원적인 힘을 '악(惡)'의 방향으로 끌어낸 게 '핵무기'라면 그 힘을 '선(善)'의 방향으로 향하게 하는 일도 결코 불가능하지는 않습니다.

로트블랫 아인슈타인은 이 공식을 만들었지만, 그것은 폭탄을 만들기 위해서가 아닌 좀 더 일반적인 물리 공식이었습니다. 그에게 이 공식은 순전히 과학 연구의 산물이었습니다.

그래도 아인슈타인은 두려워했습니다. 히틀러가 권력을 잡고 있을 때, 만약 원폭을 만들었다면 틀림없이 세계 정복을 위해 원폭을 사용할 것이라는 것을 아인슈타인은 용납할 수 없었습니다. 그래서 루스벨트 대통령에게 경고 편지를 보낸 것입니다.

그러나 아인슈타인 자신은 맨해튼계획에 참여하지 않았습니다. 그것을 거부했습니다. 그리고 두 번째 편지를 루스벨트에게 보냈습니다.

이케다 1945년에 들어와 레오 실라드 박사[29]의 요청으로 쓴 편지군요. 장래의 핵확산 경쟁이 초래할 위험을 예측하고 국제관리 방법에 관해 생각할 수 있도록 요청한 내용이었습니다.

로트블랫 아인슈타인 이외에도 과학자를 비롯해 많은 사람이 원자폭탄을 일반시민에게 사용하지 않도록 대통령에게 탄원했습니다.

그러나 그럼에도 불구하고 원폭은 민간인에게 사용되었습니다.

일단 군대가 폭탄을 손에 넣으면 과학자가 아무리 탄원해도 아무런 힘을 얻지 못합니다.

과학자들은 이렇게 말했습니다.

"군인들이여, 이 전대미문의 파괴 무기를 민중에게 사용하지 않기를 바란다. 폭탄 자체를 사용하지 않기를 바란다. 오직 위협을 주기 위해서만 사용하기 바란다. 사용하는 척만 하고 실제로 사용하는 건 그만두었으면 한다."

하지만 군 관계자는 귀를 기울이지 않았습니다. 원자폭탄이 완성되자마자 히로시마에 그리고 사흘 뒤에는 나가사키에 사용했습니다.

이케다 히로시마의 소식을 듣고 엄청난 충격을 받은 아인슈타인 박사는 독일어로 "오, 베(오, 이럴 수가!)" 하고 비통한 고함을 질렀다고 합니다.

그날 그때, 인류의 역사가 크게 바뀌었습니다.

그럼 로트블랫 박사에게 8월 6일은 어떠한 날이었는지 이어서 이야기를 듣고 싶습니다.

이케다 다이사쿠 × 로트블랫

제2장

히로시마와 나가사키가 '인류에게 주는 교훈'

히로시마는 인류의 '그라운드 제로'

이케다 퍼그워시회의는 올해(2005년) 7월, 히로시마에서 연차대회를 개최하기로 결정했습니다.

히로시마는 '핵시대'가 시작된 땅입니다. 덴마크 물리학자 닐스 보어[1] 박사가 말한 '전쟁으로는 해결할 수 없는 완전히 새로운 상황'이 시작된 인류의 '그라운드 제로(폭심지)'입니다. 피폭된 지 60년 그리고 '러셀·아인슈타인 선언'을 발표한 지 50주년을 맞아 히로시마에서 힘찬 평화의 메시지를 발신하기를 진심으로 기대하고 있습니다.

로트블랫 퍼그워시회의의 의의를 깊이 이해해주셔서 진심으로 감사합니다.

그렇지만 지난 5월, 뉴욕에서 개최한 핵확산금지조약(NPT) 재검토회의가 핵보유국과 비핵보유국의 격심한 대립으로 어떠한 합의도 내지 못하고 실패로 끝나 아쉽습니다.

이케다 이 회의는 5년에 한 번, 핵확산 방지를 목적으로 개최했습니다.

이번 회의의 결렬은 우려할 만한 사태입니다. 핵문제를 둘러싼 현대세계의 환경이 매우 복잡하고 위험해지는 상황을 다시금 나타내기 때문입니다.

로트블랫 저는 오랫동안 핵무기 문제를 다룬 사람으로서 NPT의 중요성을 깊이 인식하고 있습니다.

현재의 위기는 35년이라는 NPT의 역사상 최악의 상황입니다. 무엇보다도 먼저 핵보유국이 핵군축을 위해 성의 있게 행동하지 않는 한 핵확산 위기는 해결되지 않을 것입니다.

저는 이번 회의에 메시지를 보냈습니다.

그중에서 '핵억지력'[2]에 의존하는 기존의 안전보장시스템이 아닌 인류 공통의 '생존'이라는 공통의식을 토대로 '협력'에 기초를 둔 새로운 안전보장시스템을 향해 나아가야 한다고 구체적으로 제안했습니다.

이케다 전적으로 동감합니다. 이대로라면 인류의 안전한 미래는 없습니다. 핵시대에는 '안전보장'에 대한 발상 자체를 바꾸는 것 이외에 방법은 없습니다. 지도자들은 그 현실을 냉철하게 주시하고 행동해야 합니다.

그런 의미에서 일본은 처음으로 비참한 원폭을 체험한 나라로서 평화를 위한 외침을 더욱 강하게 해야 합니다. 세계를 향해 계속 외쳐야 한다고 생각합니다.

로트블랫 '히로시마' 그리고 '나가사키'는 어째서 우리가 핵무기를 폐기해야 하는지를 보여주는 상징입니다. 영원한 심벌입니다.

이케다 세계 사람들은 히로시마와 나가사키에서 무슨 일이 일어났는지 그 무서움을 놀라울 정도로 잘 모릅니다.

그러한 무지함이 '원폭 투하가 다른 생명을 많이 살렸다'든지 '핵무기가 안전을 지켜준다'는 등의 논리가 버젓이 통용되는 원인이 되었습니다.

그러나 현실에서 일어난 비극은 그렇게 주장하는 사람들의 상상을 훨씬 뛰어넘습니다.

그러므로 원폭이 떨어진 곳에서 실제로 무슨 일이 일어났는지 먼저 그 사실을 알아야 합니다.

그러한 생각에서 우리 SGI는 뉴욕에 있는 유엔본부를 비롯해 모스크바와 베이징, 뉴델리 등 세계 각지에서 '핵무기 위협전'[3]이나 '전쟁과 평화전'[4] 등을 개최해 핵무기의 무서움과 전쟁의 어리석음을 한 사람이라도 더 많은 사람에게 전하고자 노력했습니다.

로트블랫 SGI 여러분이 오랫동안 펼친 반핵, 반전운동은 저도 잘 알고 있습니다.

이케다 또 저는 세계의 모든 최고 지도자 특히 핵보유국의 최고 지도자가 히로시마와 나가사키를 방문해야 한다고 한결같이 주장했습니다. 그리고 히로시마나 나가사키에서 핵군축을 위한 대화를 해야 한다고 생각합니다.

히로시마와 나가사키에서 배울 점은 과거의 비극과 교훈만이 아닙니다. 희망도 배울 수 있습니다.

간디[5]는 "인간의 정신력은 핵보다 강하다"고 외쳤는데 히로시마나 나가사키의 시민이 상상을 초월하는 재해를 뛰어넘어 도시를 재건한 늠름한 모습에 많은 사람이 틀림없이 무한한 희망을 발견할 것입니다.

이것은 저의 우인으로 미국의 저명한 저널리스트이자 사상가인 노먼 커즌스[6] 씨도 늘 이야기한 부분입니다.

로트블랫 커즌스 씨는 저도 알고 있습니다.

말씀하신 것처럼 히로시마와 나가사키는 파괴의 깊이를 나타내기도 하고 동시에 낙관주의의 희망찬 빛을 발산하기도 합니다.

사람들은 그렇게 파괴와 괴로움을 당했으면서도 도시 재건에 착수해 정상적인 생활을 보내기 위한 노력을 쌓았습니다. 물론 정말 예전처럼 되돌릴 수는 없지만 그래도 어쨌든 다시 일어섰습니다. 그것은 희망의 메시지가 될 것이라고 생각합니다.

'8월 6일'의 충격과 절망

이케다 박사는 당초 미국 핵무기개발계획(맨해튼계획)에 참여하셨는데 도중에 결연히 떠나셨습니다.

1945년 8월 6일, 히로시마에 핵무기가 투하되었을 때, 박사는 어디 계셨습니까?
또 어떻게 원자폭탄이 투하된 사실을 아셨습니까?

로트블랫 그때 저는 맨해튼계획에서 나온 뒤, 미국을 떠나 영국 리버풀로 돌아왔습니다.
그때를 되돌아보기 전에 영국으로 돌아오기까지의 경위를 이야기하겠습니다.
영국에 돌아가겠다는 결심을 발표하자, 미국 방위 관계자는 제가 영국에 돌아가려는 이유는 '원자폭탄의 비밀을 소련에 넘기기 위함'이라는 거짓 소문을 흘려 귀국을 방해했습니다.
그러나 그래도 저지할 수 없자 돌아가려면 로스앨러모스(뉴멕시코주 국립연구소)의 동료와는 절대 연락하지 말라는 조건을 달았습니다.

이케다 동료라면 당시 원자폭탄을 개발하던 과학자들이군요.

로트블랫 예. 모든 편지를 검열하고 기록하기 때문에 저는 편지를 보낼 수 없었습니다. 만약 썼어도 오히려 동료를 위험하게 만들 뿐이었습니다. 그래서 1944년 12월, 로스앨러모스를 출발해 리버풀에 돌아간 뒤로 저는 로스앨러모스에서 무슨 일이 일어나는지 전혀 몰랐습니다.

1996년 6월, 코스타리카에서 개최한 '핵무기-인류에 대한 위협전'에서 이케다 SGI 회장이 아리아스 코스타리카 대통령과 함께 전시를 관람했다.

그러던 중 원자폭탄이 사용되었다는 BBC방송 뉴스를 들었습니다. 1945년 8월 6일이었습니다.

이케다 그때 가장 먼저 무슨 생각이 들었습니까?

로트블랫 엄청난 충격을 받았습니다.

왜냐하면 그때 저에게는 아직 희망이 있었기 때문입니다. 약간의 희망이지만 폭탄 개발이 실패할 수도 있다고 생각했습니다.

모든 연구를 이론상의 계산으로 진행했기 때문에 실제로 폭탄을 만드는 단계는 잘 되지 않을 수도 있다고 생각했습니다.

또 하나는 설령 폭탄을 만들어도 사용하지 않을 수도 있고 하물며 일반 시민에게 사용하지 않을 것이라는 희망이었습니다.

다시 말하면 폭탄을 만들어도 먼저 아무도 살지 않는 무인도에서 실험해야 합니다. 그리고 '미국은 이렇게 무서운 무기가 있다'고 일본에 전해진다면 전쟁은 종결될 것이라는 희망이었습니다.

그러나 현실은 그렇지 않았습니다. 인류 최초의 원자폭탄은 일반 시민에게 사용되고 말았습니다.

이케다 로스앨러모스에서는 원폭을 투하했다는 뉴스를 확성기로 이렇게 전했다고 합니다. "바로 지금 우리가 개발한 장치 하나를 성공리에 일본에 투하했다."

그 순간 로스앨러모스는 '승리의 환희'로 열광했다고 합니다. 그러나 그날 저녁에 연 기념파티는 이미 우울한 분위기에 감싸였습니다. 환희와 달성감 뒤에 곧바로 후회와 두려움이 연구소의 분위기를 대표했다고 합니다.

로트블랫 그때 제 마음은 '절망'으로 가득했습니다. 단지 충격을 받았을 뿐 아니라 절망에 빠졌습니다. 말로 다할 수 없는 충격에 다시 일어서기까지 긴 시간이 필요했습니다.

왜냐하면 제게는 히로시마에 사용한 원자폭탄이 그것으로 끝이 아니라 계속 이어지는 핵무기 개발 과정의 첫걸음에 지나지 않는다는 사실을 알고 있었기 때문입니다.

당시에 아직 최고 기밀이었지만 수소폭탄의 존재도 알고 있었습니다. 로스앨러모스에서 제 사무실 옆이 에드워드 텔러[7]의 사무실이었기 때문에 알고 있었습니다. 텔러는 미국에서 수소폭탄을 개발한 과학자로 그와 자주 이야기했습니다. 그래서 저는 '다음에는 몇천 배나 더 되는 파괴력을 가진 무기가 개발될 것'이라는 사실을 알고 있었습니다.

로스앨러모스에서는 앞서 이케다 회장이 언급하신 저명한 물리학자 닐스 보어와도 자주 이야기할 기회가 있었습니다. 그는 미국이 원폭을 사용하면 핵무기 개발 경쟁으로 이어진다고 예견했습니다. 소련도 제조해 어딘가에서 핵무기를 실험할 것입니다. 그리고 그것을 전쟁에 쓰고 싶어 할 것입니다. 그러한 흐름이 점점 확대되면 언젠가는 인류의 멸망으로 이어질 것입니다. 그래서 저는 크게 걱정했습니다.

이케다 저는 당시 핵무기를 사용하는 쪽의 사람들이 핵폭발에 종교적인 감정을 섞어 이야기한 점이 인상적이었습니다. 트루먼[8] 대통령은 8월 9일, 라디오 연설에서 "신이 원폭을 신의 길로, 신의 목적에 따라 사용하도록 우리를 이끌어 주시도록 기도한다" 하고 말했습니다.

또 뉴멕시코주 앨라모고도 사막에서 핵실험을 했을 때(1945년 7월 16일) 로스앨러모스 연구소의 오펜하이머[9] 소장은 힌두교[10] 서사시《바가바드기타》[11]에 '나는 이제 죽음이요, 세상의 파괴자가 되었다'[12]라는 구절을 떠올렸다고 합니다.

언뜻 보면 그것들은 핵무기의 역사적 의미를 진지하게 받아들인 것처럼 보입니다. 그러나 그것은 의식적이든 무의식적이든 핵을 사람의 지혜를 뛰어넘는 무언가인 것처럼 신성화하는 점에서 '자신이 문제를 만들어냈다'는 책임을 잊으려 했다고 할 수 있지 않을까요.

인류의 역사를 두 가지로 나눈다면 '핵무기 이전'과 '핵무기 이후'가 된다고 해도 좋습니다. 핵무기의 등장으로 인류의 '종(種)의 멸망'이 처음으로 현실적인 문제가 되었기 때문입니다. 그러나 그 핵무기를 만든 것은 어디까지나 인간 자신이라는 점을 잊으면 안 됩니다.

로트블랫 저는 '인류의 멸망'을 초래하는 무기 개발을 어떻게든 막을 방법이 없을지 필사적으로 고민했습니다. 얼마나 필사적이었는지 알 수 있는 이야기가 있습니다. 저는 지금 생각하면 정말 바보 같은 생각을 했습니다.

과학자로서 핵물리학 연구를 저지하려면 무엇을 해야 할까, 어떻게든 수소폭탄의 개발을 막고 싶다, 그렇다면 혹시라도 모든 과학자가 연구를 일시에 정지하기로 동의하면 가능하지 않을까 하고 말입니다.

그래서 저는 영국에 있는 대학을 돌면서 주로 물리학자들에게 인류의 파멸을 막기 위해 무언가 해야 한다고 호소했습니다.

이케다 과학자들의 반응은 어땠습니까?

로트블랫 물리학자는 대부분 아직 문제의 본질을 깨닫지 못해 거의 반응이 없었습니다. 그중에는 제 의견에 동의하는 물리학자도 있었지만 전면적으로 강하게 반대하는 사람도 있었습니다.

재미있는 점은 제 의견에 강하게 반대한 사람은 정치적으로 좌익인 공산주의에 강하게 공감하는 사람들이었습니다. 다시 말해 지금 핵물리학 연구를 멈추면 미국만 원자폭탄을 소유해 세계에서 유일하고 거대한 힘을 갖게 되는 것이 아니냐고 말입니다.

가장 좋은 방법은 소련이 원자폭탄을 개발할 때까지 기다렸다가 그때부터 모든 핵무기 개발이나 연구를 중지하는 것으로 하면 균형이 잡히지 않겠냐고 생각한 것입니다.

거기서 저는 포기했습니다. 아무리 해도 모든 연구를 중지시키는 일은 불가능하고 현실적으로 핵을 연구하고 개발하는 방향으로 세계가 나아가는 듯이 느껴졌습니다.

이케다 박사의 필사적인 마음이 전해지는 이야기입니다. 어쨌든 박사는 행동을 시작했습니다. 사람을 평가할 때는 무엇을 생각했느냐가 아니라 어떻게 행동했느냐로 정해야 합니다. 로스앨러모스에서 원폭 개발에 종사하면서 마음에 갈등을 겪은 사람은 많았을 것입니다. 원폭을 투하한 뒤 후회한 사람도 있을 테지요. 하지만 투하하기 전에 맨해튼계획에서 빠지는 '행동'을 일으킨 사람은 박사뿐이었습니다.

전쟁 중 군이나 정부의 의향을 거스르는 데 얼마나 용기가 필요한지 저도 잘 압니다.

창가학회도 제2차 세계대전 때, 일본의 군국주의에 맞서 싸우다 마키구치 쓰네사부로(牧口常三郎)[13] 초대 회장이 옥사하고, 도다 제2대 회장이 2년간 투옥된 역사가 있기 때문입니다.

로트블랫 잘 알고 있습니다. 원폭 투하가 인류 멸망에 대한 두려움만 불러일으킨 것은 아니었습니다. 저는 '남은 인생을 핵폭탄이 두 번 다시 사용되지 않도록 하는 일에 바치자'고 굳게 결심했습니다.

저는 첫 번째로 과학자가 연대해 핵무기 사용에 반대하는 투쟁을 하겠다고 결심하고 영국에서 원자력과학자협회[14]를 설립했습니다. 1946년의 일입니다. 저는 부회장을 맡았습니다.

그리고 많은 과학자가 참여했습니다.
두 번째로 저는 이 현실을 일반 시민에게 전해야 한다고 생각했습니다. 시민은 핵 위협에 관해 아무것도 모르기 때문입니다.
거기서 저는 이 새로운 발견의 '유효한 이용방법'과 '군사적으로 유해한 사용'을 설명하는 전시회에 많은 힘을 쏟았습니다.

중동까지 미친 반핵 운동

이케다 눈으로 배우는 '시각적 효과'와 한 번에 전체를 배우는 '일관성'이라는 관점에서 보면 전시회는 시민교육의 효과적인 수단 중 하나라고 생각합니다. 영상매체가 지금처럼 발달하지 않은 당시에는 더욱 그랬지요.
우리 SGI가 세계 각국에서 '핵 위협전'이나 '전쟁과 평화전' 등 전시회를 개최한 것도 그러한 이유입니다.
박사가 펼치신 전시회는 어떤 것이었습니까?
로트블랫 제가 한 전시회는 이동하는 전시회였습니다. 열차 2량 분이나 되는 양으로 우리는 이 열차를 '원자열차(아톰트레인)'

라고 불렀습니다.

차량 안에는 실험장치를 설치해 원자폭탄의 폭발 과정을 배우는 실험도 할 수 있도록 했습니다. 이것은 일반 시민에게 정보를 전하고 교육하는 첫 시도였습니다. 이 열차는 영국을 여행하고 유럽대륙을 돌아 마침내 그 시대에 중동까지 갔습니다. '원자열차'라는 이름의 소책자는 5만 3000부나 팔렸습니다.

이케다 정말 획기적인 시도였군요.

박사는 자신의 연구도 '인간을 위해 도움이 되고 싶다'는 마음으로 핵물리학[15]에서 방사선의료[16]의 길로 바꿨습니다.

영국에서는 박사의 연구를 바탕으로 방사선 치료를 시작했습니다. 박사가 발견한 방사성원소(코발트60[17])는 지금도 악성종양 치료에 사용하고 있습니다.

로트블랫 예. 저는 원폭에 배신당했다고 느꼈습니다.

저는 인류를 파괴하는 것이 아니라 인류를 위해 공헌하고자 움직이는 과학자입니다. 예전에 저는 '(나치스가) 핵무기를 사용하지 못하도록 하기 위해' 원폭 개발에 참여했습니다.

그것은 논란의 여지가 있을지도 모르지만 그렇게 생각해 참여했습니다. 그러나 실제로 사용되고 말았습니다.

만약 저의 과학적 연구가 사용된다면 다음에는 그것이 어떻게 사용되는지 제 손으로 결정하고 싶다, 연구가 사람들에게 어떻게 도움이 되는지 직접 볼 수 있는 곳에서 사용되기를 바랐습니다.

그중 하나가 의학 분야였습니다. 의학에서는 핵물리학을 여러 기술에 이용했습니다. 그래서 핵물리학을 버리고 의학 분야에서 사용하는 물리학 응용으로 전공을 바꿨습니다.

이케다 지금까지 이야기를 듣고 히로시마 원폭이 박사의 인생을 크게 바꾼 사실을 잘 알았습니다.

박사는 히로시마와 나가사키를 모두 방문하셨습니다. 히로시마를 처음 방문하신 때는 언제입니까? 그때는 어떤 목적이 었습니까?

로트블랫 처음 히로시마를 방문한 때는 1967년이었습니다. 히로시마 시장을 비롯해 많은 사람과 만나고 큰 회의에도 참석했습니다. 당시 히로시마 재건은 아직 완전하지 않아 여기저기 파괴의 흔적이 남아 있었습니다. 원폭돔[18]에도 갔습니다. 그것은 매우 큰 충격이었습니다.

제가 히로시마를 방문한 데에는 몇 가지 이유가 있습니다. 첫째, 제 눈으로 확실히 보고 '노 모어(no more) 히로시마'를 실현하기 위해서입니다. 둘째, 제 전공과 관련이 있습니다. 말씀드렸듯이 저는 의학 응용으로 전공을 바꿨습니다. 전공을 바꿈과 동시에 방사능이 생체에 미치는 영향과 그것이 얼마나 오랫동안 영향을 미치는지 특히 암 발생에 미치는 영향에 관한 연구를 시작했습니다.

그래서 저는 피폭자들이 있는 병원이나 연구소를 찾아갔습니다. 미국과 일본의 피폭자 지원활동에 참여해 방사능의 영향에 관해 연구했습니다. 그것은 제가 방사능의 영향을 해명하는 데 중요한 일이었습니다.

이케다 히로시마에 실제로 찾아간 이후 활동에 변화가 생겼겠군요.

로트블랫 물론입니다.

히로시마를 직접 보고 저는 핵무기가 가져오는 비참함을 더욱 명확하게 전할 수 있게 되었습니다.

원폭자료관의 사진을 봤을 때, 눈물이 맺혔습니다. 이후 저는 이 전시는 히로시마뿐 아니라 여러 곳에서 상설전시를 해야 한다고 계속 주장했습니다.

모든 도시에 원폭자료관을 설립해 사람들에게 언제라도 원폭의 무서움을 계속 전해야 합니다. 저는 전 세계를 돌면서 그렇게 호소했습니다.
교육에도 관여했습니다. 전시회와 강연회를 비롯해 회의 참석과 기조강연 등 핵무기 사용을 막기 위해 제가 할 수 있는 모든 일에 남은 인생을 바쳤습니다.

과거, 현재 그리고 미래에 대한 책임

이케다 인류가 히로시마와 나가사키에서 배워야 할 교훈은 무엇이라고 생각하십니까?
로트블랫 그것은 핵무기 폐기뿐 아니라 조금 범위가 넓어집니다.
다시 말해 우리는 '전쟁이 없는 세계'를 목표로 해야 한다는 점입니다.
언제나 저는 인생에 두 가지 목표를 내걸었습니다. 단기적인 목표와 장기적인 목표입니다. 단기적인 목표는 '핵무기 폐기'이고 장기적인 목표는 '모든 전쟁의 박멸'입니다.

저는 어느 쪽이든 살아 있을 때 그것이 실현되는 것을 지켜보기는 어렵겠지만 궁극적으로는 반드시 실현된다고 믿습니다.

이케다 '전쟁을 없애기 위해' 노력하는 일은 21세기를 살아가는 우리의 의무입니다.

첫째, '과거에 대한 책임'이 있습니다. 우리는 20세기에 전쟁으로 세상을 떠난 1억 명이 넘는 많은 분의 희생 위에 살고 있습니다. 그분들에 대한 책임입니다.

둘째, '현재에 대한 책임'입니다. 지금 세계에는 빈곤과 굶주림 등으로 수억 명이 생명의 위기에 처해 있습니다. 전쟁은 이러한 문제 악화에 박차를 가하면서 새로운 전쟁의 원인을 낳고 있습니다. 인류는 지금이야말로 그 악순환을 끊어야 합니다.

셋째, '미래에 대한 책임'입니다. 앞으로의 전쟁이나 군비 확대는 핵전쟁으로 이어질 위험은 물론 지구 규모의 환경과 생태계가 파괴될 위험을 높여 인류의 생존 가능성을 확실히 빼앗아갈 것입니다.

'러셀·아인슈타인 선언'도 핵무기 폐기를 주장한 것이라는 인식이 널리 퍼져 있지만 실은 전쟁을 완전히 없애자고 호소한 것이었습니다.

로트블랫 그렇습니다. 설령 핵무기를 모두 폐기해도 핵무기를 제조하는 지식을 인간이 습득한 이상 핵무기를 인류의 기억에서 모조리 지울 수 없습니다.
미래에 핵무기 없는 세계가 실현되어도 만약 초강대국 사이에 분쟁이 일어나 전쟁이 일어나기라도 한다면 핵무기를 다시 개발하는 데 시간은 그다지 걸리지 않을 것입니다.
금방이라도 냉전시대와 같은 상태가 됩니다. 그러므로 핵무기 폐기만으로는 충분하지 않습니다.
그리고 제가 가장 두려워하는 것은 핵무기가 과학자가 발명한 마지막 무기가 아니라는 점입니다.
연구가 좀 더 진행되면 새로운 종류의 대량파괴무기가 개발될지도 모릅니다. 그러므로 인류가 공존하면서 전쟁을 일으키지 않고 사는 법을 배울 때까지는 안전할 수 없습니다.
이것이 '러셀·아인슈타인 선언'에 '우리는 인류의 종말을 초래할 것인가? 그렇지 않으면 인류는 전쟁을 포기할 것인가?'라는 조금 과장된 물음을 포함시킨 이유입니다.
이것은 도망칠 수 없는 현실입니다.

이케다 그러나 현재는 전쟁이라는 시스템에 핵무기를 집어

넣으려 하고 있습니다. 소형 핵무기[19] 개발을 비롯해 이러한 움직임을 저는 매우 우려하고 있습니다.

핵무기 개발은 먼저 '나치스에 대항하기 위해'라는 이유로 시작했습니다. 그것이 '소련을 억누르기 위해'로 바뀌고 다음에는 '대량보복' '상호확증파괴'[20]라는 역할이 주어졌습니다. 냉전 종결은 핵시대를 끝낼 절호의 기회였지만 핵은 보존되어 바야흐로 '사용할 수 있는 무기'로 전환되려 합니다.

요컨대 어떤 필요가 있어 핵무기가 존재하는 것이 아닙니다. 핵무기의 존재 자체가 그 존재 이유를 필요로 했다고 할 수 있지 않을까요.

그리고 이렇게 뒤바뀐 배경에 박사가 늘 말씀하셨듯이 '무력에는 더 강한 무력을'이라는 뿌리 깊은 '전쟁 문화'가 있습니다.

로트블랫 악을 '악의 힘'으로 대항해 이길 수 없습니다. '전쟁 위협'으로 더욱 전쟁을 회피하려 하면 안 됩니다.

우리는 분쟁을 군사 대결이 아닌 방법으로 해결하는 법을 배워야 합니다.

수십억 년에 걸쳐 진화한 기적적인 산물이라 할 수 있는 이 인류의 문명을 끝내면 안 됩니다.

이케다 심각한 국제 정세의 현실을 보고 핵무기를 폐기하는 일은 불가능하다고 말하는 사람이 있습니다. 그러나 이러한 사람들은 주어진 현실의 조건은 바뀌지 않는다는 전제를 바탕으로 미래를 예측하는 실수를 범하고 있습니다.

박사가 자주 언급하신 사례이지만, 제2차 세계대전까지 프랑스와 독일은 불구대천의 원수였습니다. 그러나 현재는 유럽연합(EU)[21]을 유지하는 중핵입니다.

역사를 되돌아보면 이러한 사례는 많습니다. 눈앞의 현실이 언제까지나 이어진다고 생각하는 것은 인간의 큰 약점 중 하나입니다.

핵폐기를 할 수 있느냐 없느냐도 인간의 의지에 달려 있다는 사실을 잊으면 안 됩니다.

이케다 다이사쿠 × 로트블랫

제3장

반전(反戰) 정신을 기른 '사제의 길'

전쟁에 대한 분노를 새긴 소년 시절

이케다 로트블랫 박사는 1908년 11월 4일에 태어나 문자 그대로 '격동의 20세기'를 꿋꿋이 살았습니다.
위대한 과학자이자 평화를 위해 끝까지 투쟁한 숭고한 인생의 궤적은 21세기를 짊어질 청년들에게 귀중한 지침이 됩니다.
그래서 박사의 성장과 고투한 청춘 시절의 추억에 관해 여쭙고 싶습니다.
박사는 폴란드 바르샤바[1]에서 태어나셨지요.

로트블랫 예. 제가 태어난 당시 바르샤바는 제정 러시아[2]의 지배를 받았습니다.

약 100년 전부터 폴란드는 세 지역으로 분할되어 각각 러시아, 독일(프로이센)[3], 오스트리아라는 세 나라의 영토에 속했습니다.

그러한 민족적 고난이 있었지만 제가 어릴 때, 우리 집안은 비교적 유복하고 개인적으로는 행복했습니다.

이케다 열강으로 인해 제1차 폴란드 분할[4]이 일어난 때는 1772년이었습니다. 이후 국경선을 변경하는 국토 분할이 몇 번이나 이루어지는 등 '국가가 없는 민족'으로서 수난 시대가 이어졌습니다.

그러나 100년이 넘는 세월 동안 다른 나라의 지배를 받으면서도 폴란드 사람들은 '민족의 혼'을 잃지 않았습니다. 그것을 지탱해준 힘은 민족의 긍지와 문화였다고 생각합니다.

음악가 쇼팽[5]과 국민적 시인 미츠키에비치[6] 등 폴란드가 세계적인 문화인을 배출한 일도 유명합니다.

로트블랫 저의 행복한 어린 시절은 다섯 살 때 돌연 끝나 버렸습니다.

제1차 세계대전이 일어나면서 우리 집안의 형편은 매우 악화되었습니다. 가업은 전쟁으로 괴멸적인 타격을 받았습니다.

당시 아버지는 말 몇 마리와 마차로 운송업을 경영했고 주요 거래처는 핀란드에 있었습니다.
그런데 전쟁이 시작되자 곧바로 독일군이 폴란드를 점거[7]해 아버지는 일을 할 수 없게 되었습니다.
게다가 독일 점령군 정부는 아버지의 말을 모두 군사용으로 몰수했습니다. 우리 집은 갑자기 생계 수단을 비롯해 모든 것을 잃었습니다. 그에 대한 보증금이나 보상 등은 당연히 없었습니다.
제1차 세계대전이 끝난 뒤, 폴란드는 독립[8]했지만 우리 가족은 그때 받은 타격에서 다시 일어설 수 없었습니다.

이케다 유복하고 행복하기만 하던 가정이 눈 깜짝할 사이에 파괴되었군요.

로트블랫 예. 어머니는 '오늘 하루 식사'라면서 빵 두 조각을 주는 날도 있었습니다.
그래도 빵이 있을 때는 그나마 괜찮은 편으로 아무것도 먹지 못하는 날이 이어질 때도 있었습니다.
배급제가 되면서 얼마 안 되는 빵을 받기 위해 많은 사람이 몇 시간이나 줄을 섰습니다. 사회는 분노에 감싸이고 병이 만연하고 아이들은 늘 배가 고팠습니다.

이 세월은 저의 인격 형성에 큰 영향을 미쳤습니다.

게다가 우리는 추위와 배고픔에 시달릴 뿐 아니라 최소한의 위생을 유지하는 것조차 할 수 없었습니다.

그래서 저는 아이들이 걸리는 병은 거의 모두 걸렸습니다. 당시 아이들이 병에 걸리면 매우 위험했습니다.

이케다 저도 소년 시절 제2차 세계대전이라는 전쟁의 먹구름에 뒤덮여 있었습니다.

아홉 살 때, 큰형이 징병되고 젊디젊은 형 넷을 잇따라 군대에 빼앗겼습니다.

남은 사람은 류머티즘[9]을 앓는 아버지와 연로하신 어머니 그리고 저와 어린 남동생과 여동생이었습니다. 가족을 보살펴야 하는 저는 폐병을 앓아 병약했습니다.

그중에서도 부모님이 가장 의지한 큰형을 잃은 일은 우리 가족에게 너무나도 슬프고 괴로운 일이었습니다. 큰형은 1945년 1월, 생일 이튿날에 버마[10]에서 전사했습니다.

전사 소식을 받은 때는 제2차 세계대전이 끝나고 2년 뒤였습니다. 그때 어머니가 슬퍼하던 모습은 결코 잊을 수 없습니다.

전쟁과 군국주의에 대한 분노는 지금도 제 몸속 깊숙이 새겨져 있습니다.

소설에서 찾은 과학에 대한 꿈

로트블랫 저도 어린 마음에 '전쟁은 절대악!'이라고 깊이 새겼습니다.

그러한 괴로운 나날 속에 공상과학소설을 읽는 일이 당시 저의 작은 즐거움이었습니다.

정말 슬프고 비참한 시대였기에 저는 '꿈'을 추구했습니다. 현실에서 벗어나 다른 세계에 가고 싶다는 꿈을 꾸었습니다.

특히 프랑스 작가 쥘 베른[11]이 쓴 책이 과학에 관한 흥미를 불러일으켰습니다.

이케다 《해저 2만리》나 《80일간의 세계일주》 등 베른의 작품은 지금도 일본 사람들에게 친숙합니다.

로트블랫 기쁜 일입니다.

베른이 묘사한 것은 한참 뒤에 현실이 된 것도 많습니다. 예를 들어 '텔레비전'이 그렇습니다. 달로 떠나는 여행이나 그

외의 아이디어도 대체로 현실이 되었습니다.
그러나 그때는 전혀 이루어질 수 없는 '공상과학소설'이었습니다.

이케다 러시아 우주로켓의 아버지 치올콥스키[12]가 젊은 날 베른이 쓴 달나라를 여행하는 과학소설을 읽고 큰 영향을 받은 일은 유명합니다.
어릴 때 키운 꿈은 그 사람의 일생에 큰 영향을 줍니다.
젊을 때 저는 소년잡지 편집에 종사하고[13] 편집장도 맡았습니다. 당시는 제2차 세계대전이 끝난 직후로 사회도 사람들의 마음도 황폐하고 메말랐습니다. 그러므로 아이들에게 크나큰 꿈과 희망을 전하고 싶다, 살아가는 힘을 전하고 싶다는 마음으로 온 힘을 다해 힘썼습니다.
당시 일류 작가에게 집필을 의뢰해 세계의 명작이나 위인전을 비롯해 공상과학소설이나 과학 이야기 등을 게재하고 재미있는 삽화도 많이 넣었습니다.

로트블랫 이케다 회장이 청소년을 위해 꿈과 희망이 넘치는 잡지를 편집하는 데 힘쓴 사실은 몰랐습니다.

이케다 저에게 추억이 많은 시절입니다.

저는 몸이 약한 것도 있지만 원래 독서를 좋아했습니다.
전쟁 중에는 마음대로 책을 읽을 수 없었지만 군수공장에서 일할 때는 점심시간에 마당 잔디밭에서 하는 독서가 몇 안 되는 즐거움이었습니다.
현대는 텔레비전을 비롯해 여러 오락이 넘쳐나 아이들이 독서에서 멀어진다고 많은 사람이 말합니다. 당시는 아무것도 없는 시대였기에 '책'이라는 세계에 매력을 느꼈을지도 모릅니다.

로트블랫 그렇습니다. 저도 소년 시절의 독서 체험이 과학에 눈을 뜨게 해주었습니다.
저는 이렇게 생각했습니다.
'만약 과학에 그만한 힘이 있다면 왜 이 공상소설이 지어낸 이야기로 끝나야 하는가, 과학의 힘으로 인류를 위해 세계를 위해 공헌할 수 있을 것이다.'
이때부터 저는 과학을 단순히 진실을 탐구하는 학문으로 보는 것이 아니라 '인류를 돕는 수단'으로 보게 되었습니다.
'과학으로 인간이 전쟁을 하지 않아도 되는 세계를 만들자. 사람들의 괴로움을 해결해 모두 함께 행복해지는 세계를 만들고 싶다'는 희망을 품게 되었습니다.

그리고 저는 '인류에게 도움이 되는 과학자가 되겠다'고 결심했습니다.

이케다 평화와 인도주의 과학자로서 흔들리지 않는 신념을 관철하신 박사의 원점을 본 듯합니다.

로트블랫 그러나 과학자가 되는 일이 실제로는 쉽지 않았습니다.

먼저 대학에 가기 위해 고등학교에 다녀야 했습니다. 대학에 들어가기 위해서는 고등학교를 졸업한 뒤, 입학시험에 합격해야 합니다.

그러나 우리 집은 고등학교 학비를 낼 수 있는 여유가 없었습니다. 학비는커녕 아주 어릴 때부터 스스로 생활비를 벌어야 했습니다. 저는 열다섯 살 때부터 혼자 생활했습니다.

그래서 저는 이렇게 결심했습니다.

'고등학교에 갈 수 없다면 혼자 공부하면 된다'고 말입니다.

이후 낮에는 전기기사로 일하고 저녁에는 책을 읽고 물리학을 공부했습니다.

이케다 훗날 세계적인 핵물리학자가 된 박사가 젊은 날에 얼마나 많은 고생을 했을지 느껴집니다.

박사의 이야기는 모든 젊은이에게 용기와 희망을 줍니다.

저도 제2차 세계대전이 끝난 뒤 일하면서 야간학교에 다녔습니다. 우리 집도 낮에 학교를 다닐 여유는 없었습니다.

그러나 학교라 해도 패전한 뒤의 도쿄였기에 건물이 겨우 남아 있는 상태로 겨울에는 깨진 창문으로 차가운 바람이 들어와 교실 전등이 흔들렸습니다.

그래도 공부할 수 있다는 기쁨은 무엇과도 바꿀 수 없었습니다.

야간학교를 다니던 시절에 훌륭한 교육자를 만난 일도 제게 무엇과도 바꿀 수 없는 재산입니다.

"고투는 사람을 만든다. 이상에 살아라. 희망을 잃지 마라."

박사의 이야기를 듣고 야학 시절에 받은 훈도가 떠올랐습니다.

로트블랫 저는 이윽고 바르샤바에 있는 '폴란드자유대학교'에 입학했습니다.

이 대학은 낮에 일하는 사람들을 위한 대학으로 저녁에 수업을 했습니다.

폴란드자유대학교에서 스승 베르텐슈타인 박사를 만났습

니다.

당시 박사는 물리학 주임교수였습니다. 폴란드 출신 과학자 마리 퀴리[14]의 제자였습니다.

이케다 박사는 퀴리 부인과 만난 적이 있습니까?

로트블랫 예. 한참 나중이지만 부인이 돌아가시기 직전에 딱 한 번 만났습니다.

저는 이 시대에 베르텐슈타인 선생님을 만나 엄청난 행운아라고 생각합니다. 당시 폴란드에는 방사선학자는커녕 물리학자조차 얼마 없었기 때문입니다.

박사는 바르샤바방사선학연구소 소장으로 방사선 연구를 했습니다. 세계에서도 이 분야를 아는 몇 안 되는 인물이었습니다.

과학자로서 일류일 뿐 아니라 매우 훌륭한 인격자이고 존경할 만한 인도주의자였습니다. 박사에게는 물리학이나 핵물리학 지식뿐 아니라 과학에 관한 기본적인 사고방식을 배우는 등 대단히 큰 '은혜'를 입었습니다.

그리고 과학의 논리적 가치에 관해서도 가르쳐주셨습니다. 연구자로서 교육자로서 그리고 무엇보다도 인간으로서 존경스러운 스승을 섬겨 정말 행복했습니다.

이케다 위대한 스승을 만난 인생만큼 행복한 것은 없습니다.
저는 제2차 세계대전이 끝난 지 얼마 되지 않은 열아홉 살 때,
생애 스승인 도다 조세이 선생님을 만났습니다. 박사가 베르텐
슈타인 선생님과 만난 나이와 정확히 같은 때이지 않을까요.
도다 선생님은 제2차 세계대전 때 군부 정부의 탄압을 받아
감옥에 들어갔습니다. 그것은 제게 매우 중요한 의의가 있는
사실이었습니다.

왜냐하면 전쟁 중에는 군부 권력에 추종하다가 전쟁에 진 순
간 군국주의를 비판하고 평화를 부르짖는 무책임한 어른과
지식인들을 더는 믿을 수 없었기 때문이었습니다.

그러므로 자신의 신념을 관철해 감옥에 들어간 사람이라면
신뢰할 수 있다고 생각했습니다. 그리고 첫 만남부터 도다 선
생님의 인격에 강하게 끌렸습니다.

훗날 저는 스승의 이름을 딴 '도다기념국제평화연구소'를 설
립했는데, 연구소 최초로 '도다기념평화학상'을 로트블랫 박
사에게 수여한[15] 일을 큰 영광으로 생각합니다.

도다 선생님은 1900년에 태어나 박사와 거의 같은 세대입니

다. 그것만으로 제게는 정말 감개무량했습니다.

로트블랫 저야말로 상을 받아 영광이라고 생각합니다.

도다 회장은 '평화의 영웅'이자 '평화의 순교자'입니다. 저는 도다 회장과 만나지 못해 안타깝습니다.

이케다 도다평화연구소는 평화를 향한 열렬한 유지를 계승해 핵무기 폐기와 '평화 구축'을 위한 여러 연구프로젝트를 '문명 간 대화'를 기조로 추진하고 있습니다.

로트블랫 도다평화연구소는 짧은 기간 동안 매우 중요한 방향을 확립해 방대한 사업, 예를 들어 교육과 연구, 출판활동을 추진했습니다. 저는 그 실적을 높이 평가합니다.

은사가 지원해 준 '과학 여행'

로트블랫 그런데 제 스승 베르텐슈타인 박사는 일관되게 저를 지원해주셨습니다.

제가 1932년에 학위를 따고 그 뒤에 연구소에서 일할 수 있도록 소개해준 분도 박사입니다.

급여는 없는 것과 마찬가지로 박봉이었지만 적어도 과학 연구를 시작할 수 있었습니다. 거기서 제 '과학 여행'이 시작되었습니다.

그리고 지금도 그 '여행'을 하는 중입니다.

이케다 1939년에 박사는 영국으로 건너가 리버풀대학교[16]에서 연구를 시작하셨습니다.

로트블랫 예. 유학 준비를 도와주신 분도 베르텐슈타인 박사였습니다. 저는 1934년에 코발트60이라는 새로운 방사성원소를 발견했습니다. 이 발견으로 제 이름이 과학자 사이에서 알려졌습니다. 그래서 연구소 두 곳에서 초대를 받았습니다. 한 곳은 파리에 있는 프레데리크 졸리오 퀴리[17] 연구소였습니다. 아시다시피 그는 퀴리 부인의 딸 이렌[18]의 남편입니다. 부부는 훗날 인공방사능을 발견해 노벨상을 수상하는데 당시 파리에 있던 부부의 연구소는 중요한 거점이었습니다.

이케다 실은 제가 창립한 소카여자단기대학교[19] 캠퍼스에는 플라스크를 든 퀴리 부인의 동상이 있습니다.

1998년, 퀴리 부인의 영손인 엘렌[20] 여사가 일본을 방문했을 때 소카여자단기대학교 학생들과 간담했습니다.

학생들은 평소 존경하는 여사와 나눈 교류를 매우 기뻐했습

도쿄 하치오지시에 있는 소카여자단기대학교에서 열린 퀴리 부인의 동상 제막식에 이케다 SGI 회장이 참석했다(1994년 4월).

니다.

로트블랫 그랬군요. 그것은 귀중한 체험입니다.

저는 퀴리 부인과 연고가 있는 파리의 연구소 이외에 다른 연구소에서도 초대를 받았습니다.

영국 리버풀대학교에 있는 채드윅[21] 교수에게서였습니다. 교수는 당시 '중성자 발견자'로 이름을 널리 알린 연구원입니다.

이케다 과연, 그래서 영국으로 갈지 프랑스로 갈지 몹시 고민하셨겠군요.

로트블랫 그렇습니다. 솔직하게 말해서 너무 고민한 나머지 며칠이나 잠 못 드는 밤을 보냈습니다.

프랑스어라면 어느 정도 자신이 있고 파리에 큰 매력을 느꼈지만 결국 리버풀에 가기로 결정했습니다.

왜냐하면 당시 채드윅 교수는 사이클로트론(원자핵의 인공 파괴 등에 쓰이는 이온 가속기의 일종)을 제작했기 때문입니다. 저는 사이클로트론을 폴란드에서도 만들고 싶어 채드윅 교수 밑에서 배우기로 마음을 정했습니다.

그러나 저는 당시 영어를 읽을 수는 있지만 회화는 전혀 하지 못했습니다. 게다가 리버풀 사람들은 보통 영어와 전혀 다른 말을 씁니다. 그래서 많이 망설였습니다.

제가 처음 영국에 갔을 때 장학금은 연간 120파운드였습니다. 폴란드에서 송금하거나 가져올 수 있는 금액이 엄격하게 제한되어 있어 절약하면 한 사람은 장학금으로 꾸려갈 수 있지만 두 사람은 무리였습니다. 그래서 아내 토라를 폴란드에 남겨둘 수밖에 없었습니다.

이케다 영국에서 연구 생활을 하면서 고생이 많았을 텐데 도중에 진로를 바꿔야겠다고 생각한 적이 있으십니까?

로트블랫 폴란드로 돌아갈까라는 생각은 하지 않았지만 파리로 연구소를 옮길까 하는 생각은 했습니다.

실제로 아내에게 '방침을 바꿔서 파리로 가려고 한다'고 편지를 쓰기도 했습니다.

그러나 아내는 '그러면 평생 후회할 테니 열심히 하세요'라고 답장을 보내왔습니다.

그래서 저는 다시 힘을 내 처음 몇 개월 만에 만족스러운 조사 연구를 하나 해냈습니다. 그 덕분에 다음 학년부터 새로운 연구장학금을 받았습니다.

이 연구장학금도 120파운드였습니다. 누구나 이 장학금을 받고 싶어 하는데 이 장학금을 받은 사람 중 외국인은 제가 처음 이었습니다.

부부를 갈라놓은 파시즘의 폭풍우

이케다 사모님도 기뻐하셨겠군요.

로트블랫 예. 장학금을 받는다는 이야기를 듣고 가장 먼저 아내를 영국으로 데려오겠다고 결심했습니다. 그래서 저는 1939년 8월에 일단 바르샤바로 돌아갔습니다.

그런데 폴란드에서 아내와 함께 영국으로 가려는데 아내가 심한 맹장염에 걸렸습니다.

곧바로 수술을 해야 했기에 의사는 아내에게 영국까지 가는 길고 힘든 열차 여행을 금지했습니다. 당시 비행기 여행은 부자들만의 사치였습니다. 저는 먼저 리버풀로 돌아올 수밖에 없었고 아내는 나중에 혼자 오기로 했습니다.

이케다 그것이 운명의 갈림길이 되었군요….

로트블랫 그렇습니다. 제가 리버풀에 도착한 때는 8월 30일이었습니다. 이틀 뒤인 9월 1일에 히틀러가 이끄는 나치스 독일이 폴란드를 침공했습니다.

이케다 제2차 세계대전의 발발이군요.

로트블랫 예. 그 뒤, 국제적십자[22]를 통해 편지로 아내와 연락이 되기까지 수개월이 걸렸습니다. 저는 곧바로 아내를 영국으로 데려오기 위해 다시 노력했습니다.

리버풀대학교 아널드 맥네어 부총장은 우리의 어려운 상황을 보고 아내가 중립국에 도착하면 곧바로 영국 정부에 건의해 아내가 비자를 받도록 보증해주었습니다.

그리고 채드윅 교수의 조언으로 덴마크 코펜하겐에 있는 닐스 보어 박사에게도 편지를 썼습니다.

이케다 당시 나치스가 보어 박사를 노리고 있었다고 합니다. 과학자 동료가 안전한 곳으로 도망치라고 설득했습니다. 그러나 굳이 코펜하겐에 남아 많은 사람을 구한 일은 유명한 이야기입니다.

로트블랫 박사는 위대한 인물로 친절하고 배려심이 깊었습니다. 아내 토라를 위해 곧바로 비자를 준비할 조치를 강구하고 있다고 답장을 해주셨습니다. 그러나 얼마 되지 않아 덴마크도 나치스에 침략당하고 말았습니다.

두 번째 가능성은 동시에 진행했는데 벨기에를 통하는 방법이었습니다. 브뤼셀에 사는 사촌에게 도움을 부탁했습니다. 그러나 벨기에에서 정규 수속을 밟는 데 상당한 시간이 필요했습니다. 수속의 어려움을 이겨냈을 때는 이미 독일이 벨기에를 침략했습니다.

이케다 나치스의 맹위는 눈 깜짝할 사이에 유럽을 석권했군요.

로트블랫 예. 무서운 기세였습니다. 아내를 출국시킬 수 있는 세 번째 방법은 이탈리아를 통해서였습니다. 여기서 저는 밀라노의 세력가 토에플리츠 가문에 도움을 요청했습니다.

이 일가는 베르텐슈타인 박사의 친척이었습니다. 이탈리아는 일본, 독일, 이탈리아 추축국[23] 중 하나이지만 당시는 아직 영국과 정규 교전 상태에 들어가지 않았습니다.

아내가 할 수 있는 방법은 폴란드에서 열차를 타고 체코슬로바키아와 오스트리아를 경유해 이탈리아에 들어가는 것이었습니다. 거기까지 오면 영국으로 건너올 수 있었습니다.

토에플리츠 가문은 어떻게든 비자를 취득해주었습니다. 모든 준비가 마무리되고 1940년 6월, 저는 아내가 실제로 국경을 넘어 이탈리아로 오는 열차를 탔다는 메시지 한 통을 받았습니다.

이케다 로트블랫 박사가 전년에 사모님을 폴란드로 데리러 간 8월부터 이미 1년 가까이 지났군요.

박사에게는 정녕 길고 긴 1년이었을 것입니다.

세상을 떠난 아내에게 바치는 평화를 향한 결의

로트블랫 그러나 아내가 이탈리아로 향하고 있다는 메시지는 이탈리아 독재자 무솔리니[24]가 영국에 선전포고를 했다는 뉴스와 함께 도착했습니다.

저는 잠시 '아내에게는 비자가 있으니 어떻게든 이탈리아에 도착하지 않았을까. 그렇다면 폴란드보다 쉽게 출국할 수 있을 것'이라는 희망에 매달리다시피 생활했습니다.

그러나 아무리 기다려도 어떠한 연락도 오지 않았습니다. 한참이 지나 저는 편지 한 통을 받았습니다. 그 편지는 바르샤바에서 보낸 것이었습니다.

아내는 그때 국경에서 되돌려 보내져 바르샤바로 돌아간 것이었습니다.

1940년 말에 아내에게서 편지 한 통이 더 왔습니다. 그리고 침묵은 영원히 이어졌습니다.

이케다 너무나도 참혹한 이야기입니다. 전쟁의 잔혹함을 여실히 보여주는 이야기입니다.

지금까지 박사는 사모님의 이야기는 개인적인 일이라 별로 공개하지 않으셨다고 들었습니다.

얼마나 분통하셨을지 얼마나 큰 슬픔이었을지, 불법자(佛法者)로서 사모님의 명복을 진심으로 기원드리겠습니다.

로트블랫 그토록 슬픈 적은 없었습니다.

스탈린[25]은 "한 사람의 죽음은 비극이다. 100만 명의 죽음은 통계자료"라고 말했습니다.

이 말에서 보면 아내 토라의 죽음은 '통계자료'가 됩니다. 제2차 세계대전 때 폴란드에서 살육된 '600만 명 중 한 사람'이라는 통계자료가 되었습니다.

그리고 그 무렵 저는 얄궂게도 그 죽은 사람 수를 몇 배나 늘릴 수 있는 무기를 설계하느라 매우 바빴습니다.

이케다 로트블랫 박사는 세상을 떠난 사모님과 하나가 되어 평화를 위해 꿋꿋이 투쟁하셨습니다. 사모님은 박사의 마음속에서 늘 박사를 북돋고 계속 격려하시지 않았을까요.

이전에 박사는 제 시집에 소개글을 써주셨습니다. 거기에는 전쟁에 대한 분노와 평화를 향한 열정이 넘칩니다.

"어느 시대에나 아무리 몇 안 되더라도 정의를 희구하는 존귀한 목소리는 있었다. 그러나 늘어만 가는 폭력과 증오를 헤치고 나아갈 정의를 바로 지금 큰소리로 외쳐야 할 때다."

"이 새로운 세기를 평화의 세기로 만들고 세계를 난도질한 공포와 비극을 과거의 것으로 만들려면 우리는 지금 다시 한번 인간과 모든 생명의 존엄에 관심을 돌려야 한다."

제2차 세계대전이 끝난 지 60년을 맞은 지금이야말로 우리는 비참하고 잔혹한 전쟁의 교훈을 떠올려 전쟁과 폭력이 계속 만들어내는 비극의 연쇄작용에 종지부를 찍어야 합니다. 그것을 위한 정의로운 대음성을 박사와 함께 힘껏 높이고 싶습니다.

이케다 다이사쿠 × 로트블랫

제4장

맨해튼계획의 진실

맨해튼계획과 원폭에 대한 공포

이케다 제2차 세계대전 때 미국이 추진한 핵무기 개발 프로젝트 '맨해튼계획'에 많은 과학자가 참여했습니다.

이제까지 언급한 대로 로트블랫 박사는 나치스 독일이 더 이상 원자폭탄을 제조하지 않을 것이라고 판단해 이 계획에서 이탈한 유일한 과학자였습니다.

로트블랫 예. '맨해튼계획'에서 추진한 연구활동은 제게 트라우마(정신적 후유증)를 남긴 경험이었습니다. 계획에 참여한 사람들 중에는 평생에 걸쳐 계속 영향을 받은 사람이 있는데 저도 그중 하나라고 할 수 있습니다.

저는 1932년에 핵물리학 학위를 취득했습니다. 그해는 과학 역사상에서 중요한 발견이 잇따라 이루어진 해였습니다.
훗날 저를 영국에 초대한 제임스 채드윅이 '중성자(中性子)'[1]를 발견하고, 미국의 해럴드 유리[2]는 '중수소(重水素)'[3]를 발견했습니다. 마찬가지로 미국의 로렌스[4]는 '사이클로트론'[5]을 발명했습니다.
덧붙여 말하자면 지금 거론한 세 사람 모두 맨해튼계획에 참여했습니다.

이케다 그야말로 핵물리학의 여명기에 연구생활을 시작하셨군요.

로트블랫 그렇습니다. 앞서 이야기했지만 저는 학위를 취득하고 나서 바르샤바에 있는 방사선학연구소에서 스승 베르텐슈타인 박사의 지도 아래 연구를 시작했습니다.
그리고 몇 해가 지난 1939년, 핵물리학이 커다란 전환기를 맞았습니다.
그것은 '핵분열'[6]의 발견입니다. 식물세포의 '핵'이 분열하듯 원자핵[7] 하나가 작은 원자핵 두 개로 분열하는 현상을 확인했습니다.

과학자는 대부분 이러한 현상을 생각해내지 못했습니다. 이 발견이 인류에게 커다란 의의가 있는 이유는 원자핵이 분열할 때 매우 큰 에너지를 방출한다는 사실에 있습니다.

이케다 박사도 이 소식을 바로 아셨군요.

로트블랫 저는 1939년 1월 핵분열에 관한 소식을 처음 들었습니다. 그 직후에 독일의 리제 마이트너[8]와 오토 프리슈[9]가 과학지에 논문을 발표했습니다.

저는 핵분열에 관한 소식을 듣고 원자핵에 중성자를 부딪치면 원자핵이 분열해 동시에 수많은 중성자를 방출한다는 사실을 실험으로 확인했습니다.

그렇게 방출된 중성자가 주위에 있는 원자핵에 부딪히면 또 분열이 일어나 여러 개의 중성자가 방출됩니다.

이 연쇄반응을 충분히 제어해 에너지를 만들어내는 것이 원자력 발전의 구조입니다. 그러나 저는 매우 단시간 동안 핵분열의 연쇄반응이 일어나면 그에 따른 방대한 에너지가 발생해 미증유(未曾有)의 힘을 가진 폭발이 될 것이라고 예견했습니다.

이케다 요컨대 박사는 이 핵분열 현상이 머지않아 끔찍한 대량살상무기로 사용될 것이라고 우려하셨군요.

로트블랫 그렇습니다.

그러나 저는 이러한 생각이 떠오르자 바로 마음속에서 떨쳐내려고 했습니다. 그것은 마치 불치병에 걸린 사람이 그 병의 초기 징후를 애써 무시하려고 하는 것과 같았습니다.

그런데도 저는 여전히 커다란 두려움에 계속 시달렸습니다. 그 두려움은 반드시 누군가는 이 생각을 실행에 옮길 것이라는 점이었습니다.

그러나 그것을 제가 실행하리라고는 상상조차 하지 못했습니다. 저는 인도주의적인 사상 아래서 성장한 면도 있어 과학은 인류를 위해 봉사하는 데 활용해야 한다고 늘 믿었기 때문입니다.

끔찍한 무기를 만드는 일에 제가 쌓은 지식을 사용한다는 생각은 참으로 꺼림직할 따름이었습니다.

이케다 당시 그러한 우려를 다른 사람에게 말하거나 또는 상담한 적이 있습니까?

로트블랫 아니요. 한동안 누구에게도 말하지 않았습니다.

영국 유학을 앞두고 매우 바쁜 나날을 보내면서 원자폭탄에 대한 공포는 조금 잊혀졌습니다.

그러나 한편으로는 혹시 나치스 독일이 원자폭탄을 개발하면 어떻게 될까라는 두려움이 커졌습니다.

히틀러가 공공연하게 주장한 세계 정복의 이론대로라면 나치스는 반드시 원자폭탄을 사용할 것이라고 생각했기 때문입니다.

제가 영국에 간 지 얼마 되지 않은 무렵, 독일의 잡지에 원자력 무기의 응용에 관한 논문이 실린 것을 보았습니다. 6월의 일입니다. 그 논문을 읽은 뒤로 불안과 괴로움은 더욱더 심해졌습니다.

이케다 그렇군요. 독일이 원자폭탄을 개발할 가능성이 더욱더 높아졌다고 느끼셨겠군요.

로트블랫 예. 그 뒤, 저는 잠시 폴란드로 귀국했습니다.

그 당시 스승인 베르텐슈타인 박사를 찾아가 어림잡아 계산한 내용을 밝히면서 제 생각을 이야기했습니다. 박사는 핵무기에 대해 생각해본 적이 없는 듯했지만 제가 말한 내용이 이론적으로 가능하다고 말했습니다.

제가 “핵무기를 만드는 일을 받아들여도 될까요?” 하고 묻자

"나라면 그런 일은 하지 않겠다"고 말했습니다.
무슨 일이 있어도 자신의 신념을 관철하시는 분이었습니다.
그러나 "자네 일은 자네가 정해야 한다"고 말했습니다. 저는 그 결정을 제 양심에 맡겼습니다.

이케다 그 무렵 전 세계의 핵물리학자 몇 사람이 로트블랫 박사처럼 원자력을 이용한 무기 개발을 생각하기 시작했습니다.
헝가리 출신의 레오 실라드 박사 등이 미국 정부에 원자력 연구를 촉구하는 '아인슈타인의 편지'의 초안을 작성하는 등 독일의 위협에 대항하고자 동분서주한 일은 유명합니다.
실라드 박사도 맨해튼계획에 참여했지만 히로시마에 원자폭탄을 투하하는 일은 반대했습니다. 제2차 세계대전이 끝난 뒤에는 로트블랫 박사와 함께 퍼그워시회의 구성원 중 한 사람으로 활동했습니다.

로트블랫 제가 결단을 내린 결정적인 전환은 바로 독일의 폴란드 침공[10]이었습니다.
히틀러의 막강한 군사력과 그 군사력이 초래하는 공포는 제 양심을 압도했습니다.

저는 '독일의 원자폭탄 사용을 막는 유일한 길은 그들에게 우리도 원자폭탄으로 보복하겠다고 위협하는 것'이라고 생각했습니다.
요컨대 히틀러가 원자폭탄을 사용하지 않도록 하려면 우리도 마찬가지로 보복하겠다고 위협하는 수밖에 없다는 생각이었습니다. 그러나 저는 설령 나치스 독일이더라도 원자폭탄을 그들에게 실제로 사용할 생각은 전혀 없었습니다.

핵억지론에 대한 의문

이케다 그것은 훗날 '핵억지론'의 발상으로 통하는군요.

로트블랫 맞습니다.
그러나 지금 돌이켜보면 제 생각이 얼마나 어리석었는지 알 수 있습니다. 왜냐하면 히틀러와 같은 사이코패스(인격장애자)에게 그러한 위협 따위는 아무런 효과가 없기 때문입니다.
만일 히틀러가 원자폭탄을 가지고 있다면 가령 맹렬한 보복성 공격을 당하게 되리라는 사실을 알아도 원자폭탄을 사용했을 것입니다.

그 무렵 리버풀대학교에 있던 주요 물리학자는 대부분 사라졌습니다. 그것은 개발된 지 얼마 안 된 레이더 연구에 참여해야 했기 때문입니다. 레이더는 당시 전쟁에서 가장 중요한 기술로 여겨졌습니다. 실제로 독일군의 영국 침입을 막은 데는 레이더의 공적이 컸습니다.

이케다 당시의 긴박한 사태가 느껴집니다.

로트블랫 그래서 저는 1939년 10월 말 무렵, 원자폭탄의 가능성에 관한 연구계획을 채드윅 교수에게 직접 의논했습니다. 교수는 그때 확실하게 답하지 않았습니다.

나중에 안 사실이지만 그 무렵 이미 다른 영국 과학자들도 같은 생각으로 연구를 시작하려 한 모양입니다.

버밍엄대학교[11]에서는 앞서 이야기한 오토 프리슈와 파이얼스[12]라는 망명 과학자가 연구에 착수하려고 했습니다. 채드윅 교수는 비밀을 잘 이야기하지 않는 사람이었기에 그 사실을 알았을 때는 꽤 시간이 흐른 뒤였습니다.

며칠 뒤, 교수는 "그럼 한번 해보게나" 하고 말하고 제게 젊은 조수 둘을 붙여주었습니다. 그리고 저는 1939년 말 연구에 착수했습니다.

이케다 1939년이면 '맨해튼계획'보다 이른 시기군요.

로트블랫 그렇습니다. 당시 미국에서는 원자폭탄의 제조는 기술적으로 어렵다고 생각했습니다. 오히려 원자력을 동력으로 사용하는 연구, 다시 말해 원자로 연구에 힘을 쏟았습니다. 그 연구의 중심이 된 곳이 바로 시카고대학교[13]입니다.
그런 의미에서 원자폭탄의 개발 가능성에 관한 연구를 가장 먼저 시작한 곳은 영국이라고 할 수 있습니다.

이케다 당시 시카고대학교에서는 엔리코 페르미[14] 박사 등이 대학 내의 지하에 있는 스쿼시 코트에 소형원자로를 설치해 실험했습니다. 그리고 1942년 12월에 세계 최초로 핵분열 연쇄반응을 제어하는 데 성공했습니다.
박사가 말씀하신 대로 당시에는 원자력 개발이 주를 이루었지만 그 연구도 결국 원자폭탄의 개발로 이어졌습니다.

로트블랫 예. 엔리코 페르미 박사도 '맨해튼계획'에 참여했습니다.

이케다 저는 1975년 1월에 시카고대학교를 방문했습니다.
캠퍼스 한쪽에 핵개발 기념비가 쓸쓸히 서 있는 모습이 유독 인상적이었습니다.

실은 그로부터 일주일 전에 뉴욕에 있는 유엔본부를 방문해 사무총장에게 창가학회 청년부가 직접 작성한 '반핵 1000만 명 서명부'[15]를 건넨 지 얼마 안 된 때였기에 그만큼 잊지 못할 광경이었습니다.

다시 방금 전 이야기로 돌아가면 당시 영국에서 연구를 추진하던 로트블랫 박사도 이윽고 미국에 건너가 '맨해튼계획'에 참여하게 됩니다.

어떠한 과정을 거쳐 '맨해튼계획'에 참여하게 되었습니까?

로트블랫 당시 저는 버밍엄대학교의 프리슈 박사 등과 합류했습니다. 1941년에는 원자폭탄의 제조 가능성을 이론적으로 증명했습니다. 영국에서 추진한 이 개발계획은 '모드계획'이라는 암호로 불렸습니다.

그러나 영국은 날마다 독일군의 공습을 받는 전시 상황이었기에 개발에 필요한 막대한 자금과 설비를 마련할 수 없었습니다.

그러한 상황에서 버밍엄대학교의 물리학자 마크 올리펀트[16]가 미국에 갔을 때 '모드계획'에 관한 내용을 누설한 것입니다. 그 외에도 여러 경위가 있지만 그 일이 하나의 계기가 되어 미국은 원자폭탄의 제조 계획을 정식으로 시작했습니다. 오펜하이머 박사가 최고 책임자가 되었고, 계획의 명칭을 '맨해튼계획'이라고 지었습니다. 연구의 중심지는 뉴멕시코주 북부에 있는 로스앨러모스에 건설했습니다.

그리고 1943년 8월, 캐나다에 있는 퀘벡에서 미국의 루스벨트 대통령과 영국의 처칠[17] 총리가 회담해 영국의 연구원이 맨해튼계획에 참여하는 협정을 맺었습니다.

영국 대표단 단장에는 채드윅 교수가 선발되었습니다.

이케다 그렇군요. 채드윅 교수가 로트블랫 박사를 지명해 맨해튼계획에 참여하게 된 것이군요.

로트블랫 그렇습니다.

채드윅 교수 일행은 1943년 말에 미국으로 출발했지만 저는 다른 과학자보다 한 달 정도 늦은 이듬해 1월에 출발했습니다.

실은 영국에서 출발하기 전에 우리에게 미국의 어디로 가는지 전혀 알려주지 않았습니다. 알고 있는 사실은 그저 '와이(Y)'라는 장소에 간다는 사실뿐이었습니다.

워싱턴에 도착해 비로소 'Y'는 뉴멕시코주에 있는 로스앨러모스연구소를 가리킨다는 사실을 알았습니다.

이케다 로스앨러모스연구소는 지금도 미국의 핵무기 연구에서 중요한 위치에 있지만, 당시에는 어떠한 분위기였습니까?

로트블랫 우리는 자신이 미국의 어디에 있는지를 영국에 있는 누구에게도 알려서는 안 됐습니다. 우리가 쓴 편지는 일단 워싱턴에 있는 영국 대표단에게 보내 거기에서 우편함에 넣었습니다.

미국 내의 사람과 편지를 주고받을 때도 발신인의 주소를 '샌타페이시 우편사서함 1663'으로 해야 했습니다.

모든 편지는 검열을 거쳐 개봉한 채로 사서함에 넣어야 했습니다.

이러한 검열은 엄밀히 따지면 위법이기에, 과학자들 중에는 뜻밖의 행동을 하려는 인물도 있었습니다. 훗날 노벨상을 수상한 리처드 파인먼[18]도 당시 젊디젊었기에 이러한 면에는 특히 이골이 나 있었습니다.

이케다 처음 듣는 이야기입니다.

맨해튼계획에는 노벨상 수상자 그리고 훗날 노벨상을 수상하는 세계적으로 쟁쟁한 과학자가 이름을 올렸습니다.

인류 최고의 두뇌가 집결해 인류를 파멸시키는 무기를 개발했다는 사실에 전율을 느끼지 않을 수 없습니다.
게다가 저는 '전쟁'이라고 하는 광기를 느꼈습니다.

로트블랫 1944년 3월경, 저는 하나의 전환기를 맞았습니다.
당시 저는 채드윅 교수의 집에 함께 머물고 있었는데 맨해튼계획의 군 책임자인 그로브스[19] 장군이 이따금 채드윅 교수의 집에 찾아와 이런저런 이야기를 나누었습니다.
어느 날 대화 도중에 그로브스가 이렇게 말했습니다.
"폭탄 제조의 진짜 목적은 말할 것도 없이 소련을 제압하기 위해서다."
정확히 어떤 말을 했는지는 둘째치고 그로브스가 말하려던 것은 그러한 내용이었습니다.
저는 그 말에서 동맹국을 배신하려 한다는 사실을 예리하게 알아챘습니다. 그것은 독일군을 꺾기 위해 그리고 동맹국들이 유럽 대륙에 상륙하는 시간을 벌기 위해 날마다 수천 명에 달하는 소련 병사가 동부전선에서 죽어가고 있을 때 한 발언이었습니다.

이케다 중요한 역사적 증언입니다.

박사는 장군의 발언에서 당시 핵무기 개발에 대한 미국 지도자층의 진의를 감지한 것이군요.

로트블랫 예. 그때까지 저 자신은 나치스의 승리를 막기 위해 연구를 추진할 수밖에 없다고 생각했습니다. 그런데 지금 우리가 개발하려는 무기는 다른 목적을 위해 만들어지고 있다는 사실을 알게 된 것입니다.

요컨대 우리를 대신해 극한의 희생을 강요당한 사람들에게 전략적이고 정치적인 무기로 사용될 것이라는 사실입니다.

저는 모든 미국인이 소련보다 높은 위치에 서고자 핵무기를 개발하려 했다고 말할 생각은 없습니다. 그러나 미군의 지도자층 가운데 그러한 생각을 가진 사람이 많다는 사실은 틀림없다고 생각합니다.

저는 그로브스 장군의 생각지도 못한 발언을 듣고 나서 자신이 잘못된 이유로 여기에 있는 것이 아닌지 생각하기 시작했습니다. 발밑이 무너져 내리는 듯한 감각이었습니다.

게다가 1944년 중반에는 전쟁 상황이 바뀌어 독일군이 서서히 후퇴하기 시작했습니다.

이케다 1944년이면 1월에는 소련군이 독일군의 900일에 달하는 포위망을 뚫고 레닌그라드를 해방시키고, 5월에는 독일군이 크림반도에서 철수했습니다.

그리고 6월 6일에는 '역사상 최대 작전'이라고 일컫는 '노르망디 상륙작전'[20]을 감행해 연합군은 약 90일에 걸쳐 프랑스의 거의 모든 국토를 나치스 독일의 손에서 탈환했습니다.

한편 아시아·태평양전선에서는 일본이 임팔전투[21]에 실패하고 7월에는 사이판에 있는 일본군이 전멸해 일본의 패색이 짙어졌습니다.

로트블랫 저는 미국에서조차 원자폭탄 개발이 난항인데 나치스 독일이 먼저 개발할 수 있을 리가 없다고 생각하기 시작했습니다.

게다가 결정적으로 10월에 채드윅 교수가 첩보기관에서 얻은 최신 정보로 나치스 독일은 원자폭탄 개발을 진행하지 않는다고 알려주었습니다.

이로써 저는 제가 로스앨러모스에 있을 이유가 전혀 없다고 생각했습니다. 그리고 바로 영국에 돌아가기 위한 허가를 신청했습니다.

고심 끝에 '계획'에서 이탈

이케다 별일 아닌 듯 말씀하셨지만 실제로 결단을 내리는 데 큰 용기가 필요하지 않으셨습니까?
또 아무래도 국가의 주요 기밀을 아는 인물이기에 계획에서 이탈하면 당국의 눈밖에 날 뿐 아니라 박사 자신의 장래를 완전히 그르칠 가능성도 있었을 것입니다.
또 많은 방해도 있었다고 들었습니다.

로트블랫 예, 그렇습니다. 계획 자체가 군부의 엄격한 관리 아래에 있었기에 제 의사와는 상관없이 강제로 정신병원에 보낼 수도 있었습니다.
제가 '맨해튼계획'에서 떠난다는 뜻을 밝히고 얼마 지나지 않아 채드윅 교수가 매우 마음에 걸리는 소식을 갖고 돌아왔습니다.
로스앨러모스의 첩보기관 최고 책임자에게 제 요청을 전하자 매우 엄중한 유죄 판결을 내릴 수도 있는 증거가 될 제 신상조사서를 보여주었다는 것이었습니다. 요컨대 제가 '스파이'라는 말이었습니다.

그 내용은 제가 이미 샌타페이에서 영국으로 돌아갈 준비를 갖추었고 거기에서 직접 소련의 점령하에 있는 폴란드 상공으로 날아가 낙하산을 타고 내려 원자폭탄의 비밀을 소련에 넘기려고 한다는 것이었습니다.
저는 분명 샌타페이에서 어떤 인물과 만나 대화를 나눈 적이 있지만 그러한 계획은 전혀 사실무근이었습니다.
저는 첩보원들이 만들어낸 날짜가 기입된 보고서의 잘못을 하나하나 지적하면서 그것은 완전히 꾸며낸 이야기라고 폭로했습니다.

이케다 사실무근의 유언비어는 대부분 그렇습니다. 그럴싸한 거짓을 날조해 정의로운 사람을 함정에 빠뜨리려 합니다.
그러므로 유언비어는 그 정체를 날카롭게 밝혀야 합니다.
'언제' '어디에서' '누가' 보았는지 그 근거를 추궁하고 사실을 밝혀 당당하게 진실을 말해야 합니다. 그대로 두면 고립되어 나중에는 돌이킬 수 없게 됩니다.

로트블랫 맞습니다. 앞서 말씀드린 모략은 첩보기관의 최고 관계자도 매우 당황하여 그 신상조사서가 가치가 없다고 인정할 수밖에 없었습니다.

그럼에도 불구하고 최고 관계자는 제가 '맨해튼계획'에서 빠지려는 진짜 이유를 누구에게도 밝히지 않도록 당부했습니다. 다른 과학자들까지 동요할 것을 우려한 것입니다.

저는 채드윅 교수와 상의해 명목상의 이유를 전적으로 제 개인적인 사정, 즉 '폴란드에 두고 온 아내가 염려되어서'라는 것으로 의견을 정리했습니다.

이케다 실제로 그 무렵 사모님과 연락이 끊긴 상태이셨지요.

로트블랫 예. 그렇게 저는 1944년 크리스마스이브에 영국으로 출국했습니다. 그러나 여기에 또 한 가지 사건이 일어났습니다.

저는 로스앨러모스를 떠나기 전 모든 짐을 튼튼한 수납상자에 담아 두었습니다. 영국에서 미국으로 올 때 저는 임무를 마치면 바로 폴란드로 돌아갈 생각으로 모든 소유물을 늘 가지고 다녔습니다.

저는 로스앨러모스에서 머무는 동안 책을 많이 샀습니다. 대부분 물리학에 관한 책으로 전쟁이 끝나면 폴란드에 필요할 것이라고 생각했기 때문입니다.

그리고 기밀사항이 아닌 제 실험문서나 편지와 사진 그리고 항해일지까지 들어 있었습니다. 요컨대 그것은 '제 인생 전반의 기록'이었습니다.

바르샤바에 두고 온 제 물건은 전쟁 중에 모두 없어졌기에 상자에 있던 자료는 둘도 없이 소중한 물건이었습니다.

영국으로 돌아가는 길에 워싱턴에 있는 채드윅 교수의 집에 들러 2, 3일 동안 머물렀습니다.

채드윅 교수는 자신이 직접 뉴욕행 열차에 제 수납상자를 싣는 것을 도와주었습니다. 그런데 몇 시간 뒤 뉴욕에 도착했을 때, 수납상자는 어느새 분실되었습니다. 아무리 찾아도 찾을 수 없고, 두 번 다시 수납상자를 되찾을 수 없었습니다.

이케다 누군가 무언가를 목적으로 가져갔다고밖에 생각할 수 없는 사건이군요.

박사는 전쟁이 끝난 뒤에도 스파이 취급을 받거나 위험인물이라는 꼬리표가 붙어 미국 입국을 제한받는 등 많은 어려움에 직면하셨습니다.

그러나 자신의 양심에 따라 핵무기 개발에 '아니요'라고 선언한 박사의 존재는 과학의 역사에서 희망의 빛을 발했습니다.

맨해튼계획을 진행하던 시기와 같은 때에 일본에서는 제 스승인 도다 조세이 제2대 회장과 그 스승인 마키구치 쓰네사부로 초대 회장이 군부 권력과 맞서 싸우다 감옥에 들어가고 마키구치 회장이 옥사한 일은 앞서 말씀드린 적이 있습니다. 두 분이 감옥에 들어간 날이 1943년 7월 6일이므로 정확히 처칠 총리와 루스벨트 대통령이 퀘벡회담을 하기 직전입니다. 그리고 박사가 '맨해튼계획'에서 떠난 1944년 11월에 마키구치 회장은 감옥에서 생을 마쳤습니다.

살아남은 제 스승은 출옥한 뒤, 민중의 평화세력을 넓히고 첫째 유훈으로서 '원수폭금지선언'을 발표해 핵무기 폐기를 청년에게 의탁했습니다. 이것이 우리 창가학회의 핵폐기와 평화운동의 원점이 되었습니다.

그런데 당시 맨해튼계획에 참여한 다른 과학자들 중에는 박사와 같은 생각을 한 사람은 없었습니까?

로트블랫 그 점은 제게도 계속 커다란 문제로 남아 있었습니다. 다른 과학자들 중 대부분 독일이 항복했다고 해서 그로브스 장군이 이 계획을 종료할 것이라고 기대하지 않았습니다. 그러나 저와 마찬가지로 나치스의 위협에 대항한다는 이유로 계획에 참여한 과학자도 많았습니다. 그들이 어째서 나치스의 위협이 없어져도 연구를 지속했을까요.

가장 큰 이유는 순수하고 단순한 '과학적 호기심'이라고 생각합니다. 요컨대 이론상의 계산과 예측이 실제로 증명되는 일에 대한 열망입니다.

이러한 과학자들은 실험이 끝나고 나서야 비로소 폭탄의 사용 여부에 관한 토의를 해야 한다고 생각했습니다.

이케다 간단히 말하면 '어떻게 될지 이 두 눈으로 직접 보고 싶다'는 과학적 호기심이었군요.

일본에서도 히로시마와 나가사키에 이어 세 번째 원자폭탄이 교토에 투하된다는 소문이 났을 때 어느 물리학자는 '이것은 원자물리학자에게 둘도 없이 좋은 기회다. 히에이산 정상에서 그 순간을 제대로 관찰하자'고 말하고 실제로 히에이산 정상에 관측장비를 설치하려고 준비했다고 합니다.

이 일화는 어느 한 과학자의 광기만으로는 끝나지 않는 문제를 내포합니다. 말하자면 '과학과 문명'이라는 주제이지만 이에 관해서는 나중에 다시 이야기를 나누고 싶습니다.

로트블랫 또 다른 과학자들은 이 폭탄이 일본과의 전쟁을 빨리 종결시켜 많은 미국인의 목숨을 구할 수 있다는 논법에 설득되어 문제를 뒤로 미루려 했습니다. 그들은 평화가 회복되면

이 폭탄이 두 번 다시 사용되지 않도록 노력하는 데 관여하려고 생각했습니다.

그러나 원폭 투하가 일본과의 전쟁을 빨리 종결시킨다는 의견에는 많은 의문이 있습니다. 일본의 상층부는 이미 전쟁 종결을 위한 길을 모색하고 있었습니다.

물론 독일의 위협이 없어지면 맨해튼계획을 종료해야 한다고 생각한 사람도 있었습니다. 그러나 그러면 자신의 장래에 불리한 영향이 생길 것이 두려워 개인으로서 명확한 태도를 취하려 하지 않았습니다.

이케다 그렇군요. 복잡한 사정이 있었다는 사실을 잘 알았습니다. 그와 동시에 과학자로서 사회적 양심에서 결단을 내린 박사의 용기에 또 한 번 깊은 감명을 받았습니다.

로트블랫 다만 '독일의 위협이 없어지면 계획을 종료해야 한다'고 생각한 과학자는 동료 중에서도 극히 드물었습니다.

과학자는 대부분 윤리적인 양심의 가책으로 괴로워하지 않았습니다. 그들은 자신들의 연구가 어떻게 사용되든 나 몰라라 하고 그것으로 몹시 만족했습니다.

오늘날도 많은 국가에서 군사 계획 연구와 관련해 이와 거의 비슷한 상황을 살펴볼 수 있습니다. 제가 가장 어찌할 바를 모르고 계속 염려한 점은 전시 상황에서 발생하는 윤리적인 문제입니다. 인간의 도덕의식은 일단 전쟁이 시작되면 바로 버려지게 됩니다. 저는 그러한 현실을 여러 차례 이 눈으로 직접 보았습니다. 그렇기에 무엇보다 '그러한 상황이 일어나지 않도록' 하는 점이 중요합니다.

이케다 현대세계의 '전쟁과 평화'를 생각할 때도 중요한 논점입니다.

전쟁의 톱니바퀴가 일단 움직이기 시작하면 그것은 폭주하기 시작해 수많은 존귀한 생명을 집어삼킵니다.

그러한 흉포함 앞에서는 냉정한 판단과 합리적인 사고 등은 여지없이 무너집니다. 그렇기에 우리도 전쟁 그 자체를 무조건 반대하는 것입니다. 게다가 현대문명은 전쟁의 위험성을 늘 내포하면서 계속 나아가고 있습니다.

인류를 수십 차례나 살상할 수 있는 대량파괴무기를 갖게 되면 돌이킬 수 없는 사태를 초래할 위험성이 있습니다. 번거로워 보여도 대화의 회로를 열어두는 쪽이 훨씬 '현실적'이고 '상식적'인 평화를 향한 왕도가 되지 않을까요.

이 케 다 다 이 사 쿠 × 로 트 블 랫

제5장

퍼그워시회의의 도전

퍼그워시회의와 원수폭금지선언의 '인연'

이케다 박사는 1957년에 '과학과 세계 문제에 관한 퍼그워시 회의'를 창설한 이후 오랜 기간 사무총장으로서 퍼그워시회의를 운영하셨습니다. 그리고 동서 냉전이라는 긴박한 대립의 시대에서 두 진영의 과학자가 대화하도록 촉구하는 데 힘을 쏟으셨습니다.

또 1988년부터는 퍼그워시회의 회장으로서 핵폐기 운동에 앞장서고 1995년에는 '노벨평화상'을 수상하셨습니다. 그 뒤에도 명예회장으로서 세계평화를 위해 활발한 행동을 끊임없이 펼쳤습니다.

반세기 가까이 달하는 퍼그워시회의 활동의 발자취는 늘 박사와 함께였다고 할 수 있습니다. 기념할 만한 제1회 회의는 캐나다에 있는 작은 어촌에서 열었다고 들었습니다.

로트블랫 예. 그 마을 이름인 퍼그워시가 그대로 회의의 명칭이 되었습니다.

퍼그워시회의를 열게 된 계기는 미국 오하이오주에 사는 사업가 사이러스 이튼[1] 씨가 버트런드 러셀 경에게 보낸 편지였습니다.

'러셀·아인슈타인 선언'에 찬동한 이튼 씨가 성명이 발표된지 얼마 지나지 않아 러셀 경에게 보낸 편지로 이렇게 제안했습니다.

"여러분의 제안을 실현하고자 과학자 회의를 개최하는 데 노바스코샤에 있는 퍼그워시에서 익명으로 경제적 지원을 하고 싶습니다. 저는 학술자 그룹을 위한 설비를 갖춘 주거 환경을 바닷가 근처에 마련했습니다."

그러나 우리는 그 당시만 해도 이 제안에 관심을 보이지 않았습니다.

이케다 처음에는 퍼그워시에서 회의를 개최할 예정이 아니었군요.

로트블랫 예. 당시 이미 인도에서 회의를 개최할 계획을 하고 있었습니다. 네루 총리[2]가 적극적으로 뉴델리에서 개최하는 것을 환영해 후원을 제안했기 때문입니다.

그러나 1956년에 일어난 헝가리 동란[3]으로 국제정세가 불안정할 뿐 아니라 수에즈 동란[4]으로 수에즈 운하가 봉쇄되면서 1957년 1월 인도에서 개최할 예정이던 회의를 중지할 수밖에 없었습니다.

그때 이튼 씨가 보낸 편지가 생각났습니다.

제안이 아직 유효한지 확인하기 위해 이튼 씨에게 전보를 보내자 다행히도 승낙이라는 답을 받았습니다. 그렇게 우리는 캐나다에서 회의를 개최하고자 새롭게 준비에 착수했습니다.

퍼그워시는 이튼 씨가 태어난 고향으로 그는 자신의 별장을 회의 장소로 제공할 뿐 아니라 참석자의 여비와 체류 비용까지 포함해 회의 자금을 부담했습니다.

이렇게 1957년 7월, 소련과 폴란드 등 동유럽 과학자들도 포함해 세계 10개국의 과학자 22명이 참석해 제1회 회의를 개최했습니다.

제1회 퍼그워시회의에 참석차 모인 과학자들. 맨 왼쪽이 오가와 이와오 박사, 왼쪽 넷째가 도모나가 신이치로 박사, 맨 오른쪽이 로트블랫 박사.

이케다 이튼 씨는 회의를 위한 자금은 제공했지만 회의 내용에는 전혀 관여하지 않기로 약속했다고 들었습니다.
평화를 염원하는 독실한 사업가의 존재가 핵폐기 운동이라는 긴 여정의 실마리를 푼 셈이군요.
그런데 회의를 개최한 1957년은 불가사의하게도 제 스승인 창가학회 도다 제2대 회장이 '원수폭금지선언'을 발표한 해이기도 합니다. 도다 회장이 서거하기 1년 전입니다.
선언의 의의는 앞서 언급했지만 도다 회장은 불법자로서 핵무기가 오랫동안 인류의 머리 위에 군림하는 가장 큰 위협이 되리라는 사실을 생명의 깊은 차원에서 '직감적'으로 알아차리셨다고 생각합니다.
저는 늘 이 사실을 떠올릴 때마다 퍼그워시회의와의 깊은 '인연'을 느끼지 않을 수 없습니다.

로트블랫 거듭 말씀드리지만 우리도 같은 뜻을 품은 도다 회장과 생전에 만나지 못한 점이 매우 아쉽습니다.
저는 '핵무기 없는 세계'와 '전쟁이 없는 세계'라는 도다 회장이 시작해 이케다 회장과 SGI 여러분이 계승한 운동과 퍼그워시회의가 같은 목표를 향해 함께 달려왔다고 생각합니다.

동서의 벽을 뛰어넘은 과학자들의 대화

이케다 그야말로 핵무기 폐기는 전 세계의 분별력 있는 사람들의 공통적인 염원입니다. 그 염원을 실현하지 않으면 진정한 의미에서 인류의 평화도 미래도 열리지 않습니다.
그런데 제1회 회의에는 일본에서도 과학자가 참석했습니다. '노벨물리학상'을 수상한 유카와 히데키 박사와 도모나가 신이치로[5] 박사 그리고 물리학자인 오가와 이와오[6] 박사 세 사람입니다.
그중 회의를 준비하는 단계부터 동분서주한 도모나가 박사는 역사적인 제1회 회의에 참석한 소감을 이렇게 썼습니다.
"제1회 퍼그워시회의의 의의는 그 결론도 물론 대단하지만 오히려 동과 서의 과학자가 서로 이야기를 나눌 수 있다는 확신을 얻은 점이다. 솔직하고 우호적으로 대화하면 신념이 달라도 일치하는 부분을 찾아낼 수 있다는 경험이다."
닷새간에 걸쳐 개최한 회의에서는 날마다 아침부터 한밤중까지 격렬한 논의가 이어졌다고 들었습니다. 과학자라고 해도 냉전시대에 '군축'과 '평화'라는 정치적 문제를 주제로 이야기하는 데에는 매우 큰 어려움이 따랐을 듯합니다.

로트블랫 솔직히 말하면 당시만 해도 우리도 냉전이 만든 긴장 관계로 '견해의 차이'가 소련 과학자들과 '감정적인 대립'으로 발전하지 않을까 우려했습니다.

그러나 회의는 '앞으로 새로운 조직을 설립해 이러한 대화를 나누는 노력을 이어가자'고 만장일치로 동의하며 마쳤습니다.

그런 의미에서 회의는 도모나가 신이치로 박사가 지적했듯이 동서 진영의 과학자들에게 의의 깊은 '역사적 만남'이 되었습니다.

참석자 22명이 퍼그워시에서 처음 만날 때, 누구도 이 만남이 새로운 세계적 운동으로 발전하는 출발점이 되리라고 예측하지 못했습니다. 많은 사람이 회의는 분쟁이 일어난 채로 헤어지고 끝날 가능성이 높다고 우려했을 정도입니다.

그러나 실제로는 이 회의를 계기로 많은 참석자가 지속적인 깊은 우정을 맺었습니다.

저 또한 마찬가지였습니다. 일본에서 참석한 박사 세 사람과 금방 친해졌습니다.

그중에서도 오가와 박사는 저와 나이가 비슷해 매우 친근감이 들어 그 뒤로도 편지를 주고받으면서 깊이 있는 친교를 계속 맺었습니다.

이케다 그렇습니까.

오가와 박사는 오랫동안 릿쿄대학교의 물리학 교수로서 활약하고, 우리 SGI의 평화운동에도 깊이 공감했습니다.

어쨌든 도모나가 박사의 '솔직하고 우호적으로 대화하면 신념이 달라도 일치하는 부분을 찾아낼 수 있다'는 신념은 제 오랜 경험에서도 실감할 수 있습니다.

저도 동서 냉전이 한창일 때, 소련과 중국 등 사회주의 국가들을 방문해 많은 지도자나 지성들을 만나 거듭 대화를 나누면서 그러한 생각이 강하게 들었습니다.

1974년 9월, 소련을 처음 방문할 때에는 코시긴 총리[7]와도 만났습니다.

식량문제에 관한 생각을 말하자 총리는 "먼저 전쟁이라는 사고방식을 버려야 합니다. 무의미합니다. 인간이 전쟁을 위한 준비가 아닌 평화를 위해서 준비를 한다면 무장 없이도 식량을 만들 수 있습니다" 하고 솔직하게 말했습니다.

저는 그 말을 지금까지도 잊지 못합니다.

로트블랫 박사는 제1회 회의에서 공동의장을 맡았는데 예상 이상의 성과를 거둔 요인은 어디에 있다고 생각하십니까?

로트블랫 그렇군요. 먼저 회의에 모인 멤버는 제2차 세계대전 때, '맨해튼계획'에 협력한 과학자도 많아 핵무기에 관해 속속들이 알고 있었습니다. 그렇기에 핵무기가 가져올 파멸적인 결과도 충분히 알고 있었습니다.

또 모든 참석자가 국제적인 문제로 활약한 경험이 있는 과학자들이기에 곤란한 문제에도 선입견 없이 대처할 수 있었습니다.

이것은 그들이 사실을 존중해 종합적으로 판단을 내린다는 과학자의 전통적인 훈련을 받은 사람들이라는 점이 큰 요인이라고 생각합니다.

그리고 우리는 각자의 논문을 읽어 이미 서로 아는 등 과학자로서 개인적인 유대도 있어 인격을 서로 존중했습니다. 논의하는 주제는 다분히 정치적인 성향을 띠었지만 합리적인 분석과 객관적인 질의응답으로 서로 신뢰를 깊이 다졌습니다.

그 결과 처음에는 한 번으로 끝날 예정이었는데 예상 밖의 성공을 거두면서 정기적으로 계속 회의를 개최했습니다.
그런 이유로 위원회도 발족하고 첫 회합을 런던에서 열었습니다.

이케다 과학자로서 상호 신뢰관계가 대화를 진행하는 데 매우 중요한 '초석'이 되었다는 말씀이군요.
저는 일찍이 '미국의 양심'으로 칭송받는 노먼 커즌스 씨와 대담집을 발간했습니다. 커즌스 씨는 냉전시대에 케네디[8] 대통령의 특사로 모스크바를 방문해 흐루쇼프[9] 총리와 만나는 등 동서 간의 대화를 추진하고자 많은 힘을 쏟은 분입니다.
커즌스 씨는 어디까지나 인간의 마음에 내재한 가능성을 믿었습니다. 그중에서도 '인간은 서로 협력해야 다른 사람을 이해할 수 있다'는 관점을 가장 중요하게 여겼습니다.
먼저 서로 대화하고 협력하는 '마음'을 가져야 합니다. 거기에서 서로 차이를 뛰어넘어 이해하는 길이 열립니다. 이해되지 않으면 협력할 수 없다는 완고한 자세로는 길을 열 수 없습니다.
제가 지금까지 전 세계에 우정의 연대를 넓히는 행동을 펼치면서 특히 '교육 교류'에 주력한 이유 중 하나는 학문과 교육의 세계에는 국가나 이데올로기의 차이를 뛰어넘는 인류 공통의 '보편성'이 맥동한다고 생각했기 때문입니다.

앞서 처음 소련을 방문한 이야기를 말씀드렸는데 당시는 중국과 소련이 긴박하게 대립하던 시기로 긴장 관계에 있었기 때문에 더욱 가야 한다는 마음으로 두 나라를 차례로 방문했습니다.

그때 방문한 모스크바대학교[10] 총장실 정면에 있는 벽에 큰 그림이 걸려 있었습니다. 그 그림은 일찍이 베이징대학교[11]가 보낸 것으로 모스크바대학교의 위용을 그린 그림이었습니다. 그림의 유래를 들었을 때 '정치의 세계에는 심각한 대립이 있지만 학문의 세계에는 국경이 없다. 반드시 소련과 중국은 화해를 향해 나아갈 것'이라고 확신했습니다.

실제로 역사는 그대로 움직였습니다.

로트블랫 매우 흥미로운 일화입니다.

냉전시대에 우리의 중요한 역할도 '철의 장막'으로 가로막힌 과학자들에게 국가나 조직의 대표가 아닌 개인으로 참석해 대화할 기회를 제공하는 것이었습니다.

이러한 비공식적인 관계성은 '베트남 전쟁'[12]과 '아프가니스탄 침공'[13]으로 미국과 소련의 관계가 매우 긴박할 때에도 계속 유지되었습니다.

공산 진영에서 사상과 행동의 자유가 제한된 상황에서 소련의 과학아카데미는 자국의 퍼그워시회의 참석자가 서방 측의 과학자와 동등한 발언권을 가져야 한다고 생각해 소련을 대표하는 저명한 과학자가 참석할 수 있도록 조치했습니다.

그 결과 레프 아치모비치, 니콜라이 보골리우보프, 표트르 카피차 등 국가의 정책 결정에도 커다란 영향력을 가진 과학자가 회의에 참석했습니다.

그들은 가령 자국의 공식 정책이 자신들의 생각과 맞지 않는 경우에도 그 생각을 표명하는 일을 두려워하지 않는 사람들이었습니다.

이케다 그러한 공산 진영의 과학자들과 같은 공간에서 대화한다는 이유로 로트블랫 박사 일행은 오랫동안 무분별한 비판과 중상을 받았다고 들었습니다.

저도 소련과 중국을 방문할 때마다 '종교인이 왜 종교를 부정하는 나라에 가느냐' 등의 몰이해한 중상을 끊임없이 받았습니다.

박사는 퍼그워시회의의 중심자로서 동서가 대립하는 사이에서 말로 다할 수 없는 노고를 거듭하셨으리라 생각합니다. 가장 괴로울 때는 언제였습니까?

로트블랫 말씀하신 대로 당시는 이유 여하를 막론하고 핵폐기 운동이라는 목표를 내거는 것만으로 '소련의 선전 도구'로 불리는 시대였습니다.

그렇기에 서방 진영에서 소련의 과학자와 한 공간에서 평화와 군축을 주제로 이야기를 나누는 일을 기쁘게 여기는 사람은 바로 공산주의자이거나 그 찬동자로 낙인이 찍혔습니다. '사기당하기 딱 좋다' '얼간이' 등으로 불리거나 '소련의 좋은 먹잇감' 등으로 혹평을 받은 적도 있습니다.

그러한 상황에서 공산 진영과 서방 진영 어느 진영에서도 절대로 신뢰를 잃지 않도록 회의 운영에 세심한 주의를 기울였습니다.

이케다 고생이 많으셨겠습니다.

핵폐기 운동에 앞장선 라이너스 폴링 박사가 저와 나눈 대담에서 당시를 회상하며 이렇게 말씀하시던 내용이 생각납니다.

"많은 과학자는 공적인 자리에 나서지 않았지만 고집이 센 저는 매카시[14]나 미국의 반공주의자에게 내몰렸지만 침묵하는 것을 거부했습니다."

로트블랫 박사의 심경과 통하지 않을까요.

전쟁이 없는 세계를 향한 결의와 '비엔나선언'의 채택

로트블랫 폴링 박사는 참으로 위대한 분이었습니다. 우리의 신념은 공통적인 부분이 많다고 생각합니다.

앞서 말한 질문으로 돌아가면 퍼그워시회의가 처음 가장 큰 기로에 놓인 때는 1960년, 소련 정부가 모스크바에서 세계군축회의의 개최를 계획하여 퍼그워시회의 대표가 참석하도록 초청받았을 때였습니다.

이유는 언뜻 그럴싸해 보였습니다. 퍼그워시회의는 '군축'이라는 같은 목적이 있으니 서로 협력하지 않을 이유가 없다는 듯한 느낌이었습니다.

멤버 몇 명은 수락해도 괜찮지 않을까 하고 생각한 모양이지만, 저는 그러한 회의에 참석한다는 것은 소련의 선전에 확실하게 가담하는 것이므로 단호하게 거절해야 한다고 주장했습니다.

그래서 결국 제 의견대로 소련의 초청을 거절했습니다.

이케다 어려운 국면을 여러 차례 맞았군요.

로트블랫 잊을 수 없는 것은 그 토의가 끝났을 때, 초대장을 가져온 소련 멤버가 몰래 저를 구석으로 데려가 그 제안에 반대해 감사하다고 말한 일이었습니다.

그는 공산당 당원이지만 공산 진영과 서방 진영이 소통하는 경로로 퍼그워시회의의 중요성을 인식했기에 이 회의가 서방 국가에게 신뢰를 잃지 않고 마무리되어 내심 안도한 모양이었습니다.

이렇게 의연한 자세를 관철하는 속에 몇 년 뒤 서방 국가 사이에서도 '퍼그워시는 진짜'라는 평가가 확립되었습니다.

이케다 소련의 과학자가 남모르게 박사에게 감사한 마음을 전한 이 이야기는 매우 인상적입니다. 중요한 역사적 증언입니다.

한마디로 '당파성을 극복한다'고 해도 쉬운 일이 아닙니다. 하물며 이데올로기의 대립이 극심한 냉전시대라면 더욱 그렇습니다.

그러한 '공산 진영'과 '서방 진영'의 한 사람 한 사람의 인간이 가진 '양심'이 바로 회의를 지탱한 뼈대이지 않았을까요.

한편 퍼그워시회의는 비엔나에서 개최한 제3회 회의(1958년 9월)처럼 그 성과를 시민들에게 널리 발표하는 등 오랫동안 국제 여론을 높이는 운동에 힘썼습니다.

회의에서 낸 성명인 '비엔나 선언'은 많은 시민이 모인 장소에서 발표했습니다. 오스트리아 대통령도 시민들과 뒤섞여 청중석에 앉아 회의를 방청했다고 들었습니다.

로트블랫 예. 회의는 매우 큰 규모로 오스트리아 비엔나에 있는 공회당에 1만 명이나 되는 사람들이 모여 러셀 경을 비롯한 과학자 10명의 연설에 귀를 기울였습니다.

그리고 그곳에서 '비엔나 선언'도 채택했습니다.

이 선언은 퍼그워시가 펼치는 활동의 원칙과 목적을 명확히 한 것으로 핵무기뿐 아니라 모든 전쟁을 없애야 한다고 주장했습니다.

그 뒤로 많은 국가의 과학자에게 이 선언을 보내 수천 명의 서명을 받았습니다.

이케다 퍼그워시회의가 설립된 지 얼마 되지 않은 무렵부터 핵무기 폐기와 더불어 '전쟁이 없는 세계'의 중요성을 주장한 일에 깊이 감명받았습니다.
그것은 우리 창가학회와 SGI가 지향하는 길이기도 합니다.
그런데 일본의 도모나가 박사는 퍼그워시회의가 직면한 위기 중 하나로 미국에서 개최한 제8회 회의(1961년 9월) 직전에 소련이 갑자기 핵실험을 재개한 일을 거론했습니다.
박사는 그때도 운영 측 그리고 참석자의 인내와 뛰어난 지혜로 회의의 결렬을 어떻게든 막을 수 있었고, '어떠한 어려운 상황에서도 대화할 수 있고 또 그것은 계속되어야 한다'는 신념을 깊이 다지는 기회가 되었다고 술회했습니다.
한편 이 제8회 회의는 핵전쟁의 위기를 막기 위한 구체적인 방법을 찾아내는 작업에 본격적으로 착수하는 전환기가 되었다고도 이야기합니다.

로트블랫 맞습니다. 동서의 긴장으로 전 세계가 '열전(熱戰)'의 위기에 놓일 수밖에 없는 냉전시대에서 퍼그워시회의의 주된 역할은 그 중대한 위기를 막는 일이었습니다. 그것은 뭐라 해도 핵전쟁을 막고 애초에 큰 나라 간의 긴장을 높이는 원인인 핵군비 확장 경쟁을 멈추게 하는 일이었습니다.

그러한 긴장 상태를 완화하기 위한 구체적인 수단 중 하나가 조약을 체결하는 일이었습니다. 예를 들면, '부분적 핵실험 금지조약'[15]은 많은 제약이 있었지만 군비 확장 경쟁의 가속화를 떨어뜨렸습니다.
그러나 안타깝게도 핵폐기를 위한 노력을 본격적으로 재개하려면 냉전이 종결되기까지 기다려야 했습니다.

인간에게 잠재한 야만스러움 그리고 광기와 대치

이케다 박사와 제가 처음 만난 때는 동서 냉전의 상징인 '베를린 장벽'이 붕괴[16]되기 직전인 1989년 10월이었습니다.
박사는 그때 핵무기 감축과 군축이 생각만큼 진척되지 않는 원인으로 '군축의 논리를 각국 정부가 납득하지 못해 받아들이지 않고 있다'는 점을 지적했습니다. 그리고 핵무장이 전쟁을 막는 일 따위는 절대로 일어날 수 없다고 주장하면서 '핵억지론'의 망상에서 벗어나야 하는 중요성을 강조했습니다.
또 두 차례에 걸친 세계대전을 직접 목격한 자신의 체험을 회상하면서 "'전쟁'은 인간을 어리석은 동물로 만들고 마는 힘이 있다. 통상적인 상태에서는 사리분별이 있는 과학자도 일단 전쟁이 시작되면 올바른 판단을 잃고 만다. '야만'을 증오한 사람이 스스로 야만스러운 행위를 일삼는다. 거기에 전쟁의 광기가 있다" 하고 경고하신 그 한 마디 한 마디가 가슴 깊이 남아 있습니다.

로트블랫 그것은 제가 퍼그워시회의 회장으로 취임하고 이듬해에 도쿄에서 심포지엄을 개최하고자 일본을 방문한 때였습니다.

이케다 회장은 "퍼그워시회의 분들은 인류를 잘못된 길에서 구하고 올바른 궤도로 되돌리고자 노력한다. 이처럼 존귀한 사명은 없고 위업도 없다" 하고 우리를 최대한으로 상찬해주셨습니다.

우리는 퍼그워시가 펼치는 운동에 기대를 보내는 많은 분의 마음에 부응하고자 1993년 《핵무기 없는 세계를 향해》라는 제목의 연구서를 출판했습니다.

이 연구서에서 우리는 핵무기 없는 세계가 바로 바람직한 세계라고 밝히고 그러한 세계를 실현하기 위한 구체적인 계획을 제시했습니다.

이케다 연구서는 일본에서도 큰 반향을 일으켰습니다.

퍼그워시회의의 커다란 공적은 과학자의 양심에 대한 외침으로 국제 여론의 관심을 불러모았고, 핵무기 폐기를 위한 구체적인 대책을 진지하게 모색했다는 점에 있다고 생각합니다.

저는 도다 제2대 회장에게서 "인류의 평화와 진보를 이루려면 '구체적'으로 제안하는 일이 중요하다"고 거듭 배웠습니다.

스승은 "비록 곧바로 실현할 수 없다고 하더라도 이윽고 그것이 '불씨'가 되어 평화의 불꽃이 번진다. 공리공론은 어디까지나 허무하지만 구체적인 제안은 실현하기 위한 '기둥'이 되고 인류를 지키는 '지붕'이 된다"고 강조했습니다.

제가 해마다 전 세계에 평화제언을 발신해 지구적 문제들을 해결하기 위한 방법을 찾아온 이유도 이 가르침을 가슴에 새겼기 때문입니다.

로트블랫 참으로 굉장합니다.

5년 전(2000년), 오키나와에서 만났을 때 말씀드린 것을 지금 다시 한번 거듭 말씀드리고자 합니다.

우리 인류는 현재 매우 극심한 '폐색상황'에 놓여 있습니다. 어떻게 해서든 이러한 상황에서 벗어나야 합니다. 그를 위해 이케다 회장이 꼭 지휘했으면 합니다. 그것을 해낼 수 있는 지도자에게 미래를 의탁하는 수밖에 없다고 생각하기 때문입니다.

이케다 다이사쿠 × 로트블랫

제6장

핵폐기를 위한 투쟁

'끈기 있는 대화'야말로 역사를 움직이는 궁극적인 '무기'

이케다 로트블랫 박사는 1995년 퍼그워시회의와 아울러 핵 폐기를 위한 끊임없는 노력을 높이 평가받아 '노벨평화상'을 받으셨습니다. 전 세계가 갈채를 보냈고, 저도 정말 기뻤습니다.

퍼그워시회의의 일상적인 활동과 수상 당시의 에피소드 등도 듣고 싶습니다.

박사는 퍼그워시회의의 회장으로서 매일 아침, 런던 북부에 있는 집에서 버스와 지하철을 갈아타 9시 전에는 사무실에 도

착하신다고 들었습니다. 전화를 걸면 박사가 바로 받아서 놀라는 사람도 적지 않다고 하더군요. (웃음)

로트블랫 예. 단지 최근에는 사무실이 아니라 집에서 일하는 경우가 많아졌습니다.

아침에는 대체로 6시 반에 눈을 뜨면 이부자리에서 BBC(영국방송) 아침 뉴스를 듣는 것이 습관입니다. 7시 넘어서 일어나 아침을 먹고, 홍차를 마시면서 〈타임스〉지를 꼼꼼히 읽습니다. 협의가 있으면 집에서 아침 일찍 서둘러 마치고 그때부터 업무에 들어갑니다.

이케다 토인비[1] 박사도 만년에 마찬가지로 아침 일찍 일어나 집에서 오전 9시부터는 어쨌든 일을 시작하도록 하셨습니다. '일을 하고 싶을 때까지 기다리면 영원히 일을 못한다'고 웃으며 말씀하셨습니다.

여하튼 로트블랫 박사는 96세가 되어서도 청년과 같은 기개로 일에 몰두하십니다. 박사의 그런 모습에 많은 분이 감복하셨습니다. 박사가 계시지 않았다면 퍼그워시회의도 발전할 수 없었다는 점을 잘 압니다.

퍼그워시회의는 오랫동안 재정난에 허덕여 회장인 박사도

무보수로 운영하셨다고 들었습니다.

그러한 속에서 박사가 핵군비 확장의 움직임이 일어날 때마다 곧바로 관계국에 항의문을 보내거나 영국을 대표하는 〈타임스〉지 등에 투고해 의견을 표명하는 등 일관되게 핵폐기를 위한 논진을 펼치신 일은 유명합니다.

로트블랫 퍼그워시회의가 정치적인 압력단체는 아니지만 핵무기처럼 선진적인 과학기술의 개발로 야기되는 인류에 대한 위협에 대해서는 과학자의 관점에서 경고하는 것이 사명이자 책무라고 생각했습니다.

그렇다고 해서 무언가 특별한 수단이 있는 것도 아닙니다.

우리의 무기는 인간끼리의 이성에 근거한 토의로 도출되는 '말'뿐이었습니다. 말로 상대를 설득하는 것이 우리가 지속한 평화운동의 근간이었습니다.

이케다 말로 설득하기, 인간의 마음을 움직이는 '대화'야말로 토인비 박사가 궁극적으로 역사를 만드는 것으로 꼽은 '물밑의 완만한 움직임'이라고 저는 생각합니다.

실제로 핵실험 금지를 위한 국제 여론을 높이거나 많은 군축 관련 조약이 성립하는 데 퍼그워시회의 멤버의 지적 공헌과 폭넓은 인맥이 실로 큰 역할을 했다고 높이 평가받고 있습니다.

로트블랫 우리의 노력이 인정받는 일은 정말로 기쁩니다. 이전에 고르바초프[2] 옛 소련 대통령이 '퍼그워시회의의 활동이 군축과 냉전 종결에 이바지했다'고 제게 감사의 뜻을 전한 적이 있었습니다.

지금까지 60년 가까이 평화운동에 몰두하면서 '어째서 그렇게 오래 지속할 수 있었는지' 자주 사람들이 물어봅니다.

첫째 이유는 제가 무엇보다도 인간의 선량함을 믿기 때문입니다.

물론 무언가의 외재적인 힘이 작용하거나 외부 상황에 강제적으로 인간이 나쁜 행동을 하는 경우가 있을 것입니다. 예를 들어 인류 역사의 초기에 인간은 식량을 확보하기 위해, 사랑을 위해, 여성을 위해, 종족을 지키기 위해서라는 여러 이유로 싸우고 서로 죽였습니다.

그러나 저는 인간은 내재적으로 '선하다'고 믿습니다. 이것이 처음부터 제가 가진 철학이고, 이 신조가 있기에 평화를 위해 싸울 수 있었습니다. 그런 의미에서 저는 낙관주의자입니다.

이케다 제가 박사에게 깊이 공명하는 것도 그 행동에 비장함이 전혀 없다는 점입니다.

많은 평화운동이 현실과 동떨어져 있다고 비난받거나 생각처럼 성과를 내지 못해서 초기의 이상을 향한 정열과 활력을 점차 잃어버린 경우를 종종 볼 수 있습니다.

그러나 박사는 인간의 선성에 대한 신뢰를 결코 포기하지 않고 행동을 지속하는 '늠름한 낙관주의'를 관철하셨습니다. 고르바초프 대통령이 박사의 평화운동을 높이 평가하신 점도 그것이 확고부동한 신념에 깊이 기인하고 있음을 자세히 아셨기 때문일 것입니다.

일본에서도 핵폐기를 지향하는 많은 사람이 박사의 행동에서 얼마나 크게 용기를 얻었는지 모릅니다. 일본에서 처음 퍼그워시회의 연차총회를 개최한 때는 10년 전이었지요.

로트블랫 예. 원폭 투하 50년을 맞은 1995년입니다.

당시 중국의 핵실험에 이어 프랑스가 핵실험 재개를 결정하는 등 핵군비 확장의 움직임이 강해지는 속에서 퍼그워시회의로서 운동의 원점이라고도 해야 할 히로시마에서 회의를 개최했습니다.

저는 전체회의에서 강연할 때 '히로시마와 나가사키의 원폭 투하는 전혀 필요 없었다. 제2차 세계대전은 원폭을 사용하지 않고 더욱 빨리 끝날 수 있었다'고 강조했습니다.

회의 첫날에 참석자와 함께 원폭 위령비를 방문해 헌화했는데 잠시 저는 그 자리를 떠날 수가 없었습니다.

아득히 이전에 원폭 투하 뉴스를 라디오로 들었을 때와 똑같은 심한 충격이 다시금 제 가슴을 덮쳤기 때문입니다.

피폭자 분들을 처음 만난 참석자도 많고, 히로시마에서 개최한 연차총회는 퍼그워시회의의 멤버에게 핵무기 폐기를 새롭게 결의하는 기회가 되었습니다.

이케다 참으로 중요한 그리고 엄숙한 증언입니다.

지금까지 만난 많은 세계의 지도자도 실제로 히로시마와 나가사키를 방문해 핵무기 위협의 인식을 새롭게 했다고 말했습니다.

앞으로도 핵무기 보유국에서 지도적 처지에 있는 사람은 모름지기 히로시마, 나가사키를 한 번은 방문했으면 합니다. 그리고 여기서 무엇이 일어났는지를 실제로 자기 눈으로 확인해야 합니다. 히로시마, 나가사키에는 지금도 그 무게가 엄연히 존재하기 때문입니다.

세계평화와 핵폐기를 위한 오랜 세월의 공적이 평가받아 퍼그워시회의와 박사에게 노벨평화상을 수여하기로 결정된 것은 히로시마에서 연차총회를 개최하고 3개월 뒤의 일이었습니다.

수상 결정 소식을 박사는 어디서 들으셨습니까?

노벨평화상 수상이 가져온 새로운 사명감

로트블랫 그날은 아직도 생생합니다. 10월 13일 금요일이었습니다.

저는 평소처럼 사무실에 나가 일을 하고 있었습니다. 오전 11시쯤 전화가 울렸습니다.

비서 톰 밀른이 전화를 받고 오슬로에서 걸려온 전화라고 말하길래 바로 알았습니다. 노르웨이 의회의 보좌관이 제가 노벨평화상에 선정되어 곧 정식으로 발표한다는 연락을 준 것입니다. 발표하기 45분 전이었습니다.

후보자 중 한 사람으로 추천된 사실은 알고 있었지만 설마 수상하리라고는 생각하지 못해서 정말 놀랐습니다.

그러고 나서 저는 사무실을 나와 평소처럼 산책을 했습니다.

이케다 산책을 하셨다고요?

로트블랫 예. 산책이 제 일과였으니까요.

런던 거리를 따라 걸으면서 저는 '이번 수상이 어떤 식으로 내게 영향을 미칠까' 하고 생각했습니다.

잠시 생각한 끝에 정했습니다.

'내 인생에 영향을 주지 않을 것이다. 내 인생에는 아직 해야 할 일이 많다. 이번 수상으로 내 목표에서 자기 자신을 일탈시키는 일이 절대로 있으면 안 된다'고 말입니다.

이케다 비난에도 망설이지 않고, 영예에도 현혹되지 않고 모든 것을 초월해 사명을 완수하신 박사의 숭고한 인생을 상징하는 말씀입니다.

불법(佛法)에서도 '훼예포폄(毁譽褒貶)의 폭풍우에 휩쓸리지 않는 사람을 진정한 현인(賢人)이라고 한다'고 설합니다.

로트블랫 고맙습니다.

그러나 제가 사무실에 돌아와보니 앞쪽 길은 기자와 카메라맨으로 가득했습니다.

그 모습을 보고 저는 제 결의를 관철하기가 쉽지는 않겠다고

라이너스 폴링 박사 탄생 100년 기념상 수여식에 참석한 로트블랫 박사(2003년 5월, 스위스 제네바 유엔 유럽본부).

느꼈습니다.

이케다 솔직한 심정을 말씀해주셔서 감사합니다. 박사는 이 때 노벨상 수상은 핵무기 폐기를 위해 노력한 과학자에 대한 것으로 '많은 과학자가 자신의 일이 사회에 미치는 충격을 깊이 인식하기 바란다'고 말씀하셨습니다. 그리고 '일은 아직 끝나지 않았다'며 핵폐기를 향해 단호한 결의를 피력하셨습니다.

그 말씀대로 박사는 핵폐기라는 중대한 사명에서 잠시도 떨어지지 않고 오늘까지 신념의 행동을 관철하셨습니다.

2003년 5월, 우리 SGI가 제네바의 유엔 유럽본부에서 개최한 '라이너스 폴링과 20세기'전에 참석하셨을 때도 SGI 멤버에게 해주신 말씀이 생각납니다.

"자서전을 쓰도록 권유받는데 저는 과거를 되돌아보는 일을 시간 낭비라고 생각합니다. 아직 하고 싶은 일이 태산 같습니다" 하고 말씀하셨지요.

인생의 대선배가 보여주는 '생애 전진!' '생애 행동!'이라는 삶을 우리도 계속 이어가고 싶다고 결의했습니다.

로트블랫 과분한 말씀입니다. 황송합니다.

저야말로 이케다 회장이 세계를 무대로 계속 펼치신 평화행동에 깊이 경의를 표하는 바입니다.

노벨평화상 수상이 결정됐을 때 이전처럼 평온한 생활로는 돌아갈 수 없겠다고 느꼈는데 정말 그러했습니다.

이후로 벌써 10년이 다 되어 가지만 아직도 대응하지 못할 만큼 많은 강연 등의 요청을 받습니다. 원래의 생활은 도저히 할 수 없습니다.

저 자신, 때로는 농담으로 "노벨평화상을 받고 나쁜 사람이 되어버렸다"고 말하기도 합니다. (웃음)

왜 그런 말을 하느냐면 상을 받기 전에는 누가 편지를 보내면 반드시 직접 한 사람 한 사람에게 답장을 썼습니다. 만약 누가 초대해주면 언제라도 흔쾌히 승낙했습니다. 그게 제 성격이었습니다. 그런데 노벨상을 받은 이후에는 그것이 불가능해졌습니다.

이케다 성실 그 자체인 박사의 인품이 전해지는 이야기입니다. 일찍이 박사를 인터뷰한 〈세이쿄신문〉 기자도 늘 성의를 다해 진지하게 대응해주시는 박사의 모습에 진심으로 감동했다고 말했습니다.

박사는 여러 국제회의 자리에서도 사전 확인을 결코 남에게 맡기지 않고 직접 점검하셨다고 하더군요.

도다기념국제평화연구소가 오키나와에서 개최한 국제회의(2000년)에서 기조강연을 하실 때도 박사는 회의 전날 저녁부터 회의장으로 발걸음을 옮겨 빔프로젝터와 마이크 상태를 직접 점검하며 소탈한 모습으로 스태프와 협의하셨다고 들었습니다.

로트블랫 그게 제 천성입니다.

그런데 노벨평화상 수상 이후 그런 제 삶이 생각처럼 되지 않는 경우가 점점 늘었습니다.

수백 통의 편지가 와서 도저히 혼자서는 답장을 쓰지 못합니다. 비서가 필요해졌습니다. 사실 비서 톰의 남동생이 와서 저 대신 답장을 써주었습니다.

그것은 바람직하지 않고 실례라서 썩 내키지는 않지만 그렇게 하는 수밖에 다른 방법이 없습니다.

또 모든 강연 의뢰나 그 외 요청에 응하기도 물리적으로 불가능해졌습니다.

그래도 1년 전까지는 할 수 있는 모든 것을 했습니다. 그러나 병을 앓고 또 생활이 바뀌었습니다. 건강상의 이유로 할 수 있는 일이 제한되었습니다.
지금은 일을 하는 데도, 회의 등을 위해 먼 길을 떠날 때도 제 컨디션을 충분히 고려해야 합니다.

수상 강연에서 호소한 '전 인류에 대한 충성'

이케다 박사는 숭고한 '인류의 양심'이자 소중한 '세계의 보배'입니다.
노르웨이의 노벨위원회는 퍼그워시회의와 박사에 대한 수상 이유를 이렇게 썼습니다.
"올해는 히로시마와 나가사키에 두 개의 원폭이 투하된 지 50년, 러셀·아인슈타인 선언 40주년이다.
이 선언은 오늘까지 활발한 활동을 계속한 퍼그워시회의의 기초를 구축했다. 조지프 로트블랫 박사는 선언에 관여한 과학자 11명 중 한 사람으로 그 이후 회의의 가장 중요한 인물이기 때문이다."
"회의는, '과학자는 발명에 책임을 져야 한다'는 인식에 서 있다. 그들은 핵무기의 위협을 줄이기 위한 건설적 제안을 위해 정치적 분단을 초월해 과학자와 정책 결정자가 서로 협력하게 만들었다."

박사의 업적이 영원히 역사에 각인된 점이 저는 무엇보다도 기쁩니다.

1995년 12월, 박사가 오슬로에서 하신 노벨평화상 수상 강연에 저도 크게 감동했습니다.

그 강연은 박사가 관철하는 평화사상의 집대성이라고도 할 내용이었습니다. 강연을 할 때 어떠한 점을 염두에 두셨습니까?

로트블랫 한정된 시간 안에서 모든 것을 이야기할 수는 없으므로 몇 가지 구체적으로 초점을 맞춰야 한다고 생각했습니다. 강연에는 세 부류의 청중이 있었습니다. 첫째로 정부 관계자, 둘째로 과학자 그리고 셋째로 일반 시민입니다. 어쨌든 인류가 살아남으려면 평화적으로 공존하는 수밖에 없다고 말했습니다. 그것이 강연의 초점이었습니다.

먼저 정부 관계자에게는 이렇게 호소했습니다.

"저는 핵보유국에 대해 냉전시대의 뒤떨어진 사고를 버리고 새로운 관점을 취할 것을 요구합니다. 특히 핵무기가 인류에 미치는 장기적인 위협에 유의하고 핵무기 폐기를 위해 행동을 개시하기를 핵보유국에 주장합니다. 인류에 대한 여러분의 책무를 잊지 마십시오" 하고 말입니다.

이케다 불멸의 외침입니다. 박사가 오랜 세월 강조하셨듯이 핵무기의 존재가 전쟁을 억제한다고 한 '핵억지론'은 환상일 뿐입니다.

유감스럽게도 냉전이 종결되고 10년 이상이 흘렀지만 핵보유국은 '국가의 안전보장'이라는 이름 아래 아직 핵무기를 포기하기에는 이르지 못했습니다.

그뿐 아니라 인도와 파키스탄이 핵무기를 보유하고 북한도 핵개발 계획을 추진하는 등 핵확산의 움직임이 퍼지기만 합니다.

한편 미국의 신형 핵무기 개발처럼 핵군비 확장의 움직임도 보이는 등 핵군축과 그 확산 방지를 목표로 한 핵확산금지조약(NPT) 체제는 큰 위기에 처해 있습니다. 참으로 우려스러운 사태라고 할 수 있습니다.

로트블랫 전적으로 동감합니다.

그래서 저도 2004년, 한국에서 개최한 퍼그워시회의 연차총회에서 '핵보유국이 핵폐기를 위한 교섭을 거부하는 동안 핵 확산은 멈출 수 없다'고 경고했습니다.

이케다 정당한 말씀입니다.

2000년 NPT 재검토회의에서 채택된 최종 문서에는 '핵무기 전폐를 달성하겠다는 핵무기국의 명확한 약속'이 명기되어 있음에도 불구하고 실제로 그런 노력을 하지 않는 것은 유감이라고 할 수밖에 없습니다.

핵군축이 전혀 진행되지 않는 상황이 계속되면 NPT 체제에 대한 국제사회의 신뢰가 흔들리고 맙니다. 머지않아 핵무기 확산뿐 아니라 생물, 화학무기라고 하는 다른 대량파괴무기의 확산도 초래할 위험성이 높아지는데 핵보유국의 지도자들은 더욱 유의해야 합니다.

로트블랫 그 위기의식을 저도 공유하겠습니다. 미국에서 동시다발 테러사건이 일어났을 때 저는 테러리스트가 핵무기를 사용할 염려를 말했습니다.

이러한 정치 지도자들의 책임에 이어 제가 노벨평화상 수상 강연에서 강조한 것은 과학자들의 책임이었습니다.

제가 체험한 '맨해튼계획'의 어리석음과 잔혹함을 바탕으로 이렇게 주장했습니다.

"여러분은 근본적인 일을 하고 지식의 최첨단을 추진하고 있습니다. 그러나 그렇게 할 때 여러분은 종종 자신의 일이 사회에 미치는 영향을 그다지 생각하지 않습니다.

'과학은 중립'이라든지 '과학은 정치와 관계없다'는 계율이 아직도 우세합니다. 그러나 그러한 계율은 '상아탑' 같은 정신구조의 유물입니다. 상아탑은 결국 히로시마에 투하된 폭탄으로 분쇄되었습니다" 하고 말입니다.

이케다 박사는 강연에서 그 상징적인 예로 스탠리 큐브릭[3] 감독의 영화 '〈닥터 스트레인지러브〉'(1964년)에 등장하는 과학자 '스트레인지러브 박사'를 언급하며 과학자들이 군비 경쟁을 부추기기 위해 연기한 불명예스러운 역할을 말씀하셨지요.

로트블랫 예. 저는 젊은 시절부터 과학을 열렬히 사랑한 사람입니다. 과학은 인간의 지성을 최대한으로 작용하게 만들고, 제 마음속에서 늘 사람들에게 도움이 된다고 결부되어 있었습니다.

그런 만큼 과학이 만들어 낸 위기적 위협에서 인간을 지키는 데 제 후반생을 다 쓰리라고는 생각도 하지 못했습니다.
그런 고통스러운 마음을 담으면서 저는 전 세계 과학자에게 '인간성'과 '양심'을 잃지 말기 바란다고 호소했습니다.

이케다 박사의 걱정은 잘 알았습니다.
본디 과학 그 자체는 선도 악도 아닙니다. 그것을 사용하는 인간이 그것을 정하는 법입니다. 그런 만큼 그 제일선에 서는 과학자의 책임은 막중하다고 할 수 있습니다.

로트블랫 그렇습니다.
그리고 강연의 마지막 내용은 세계의 모든 사람에게 호소한 것이었습니다.
'핵무기 없는 세계'와 '전쟁이 없는 세계'를 만들려면 많은 민중의 결연한 의지와 행동이 반드시 필요하기 때문입니다.
그러려면 기존의 '국가에 대한 충성심'을 세계시민으로서의 의식으로 길러 한 사람 한 사람이 '전 인류에 대한 충성'이라는 새로운 충성심으로 전환하고 발전시킬 필요가 있다고 생각했습니다. 강연의 맺음말로 '러셀·아인슈타인 선언'의 구절을 인용해 이렇게 말했습니다.
"우리는 인류 구성원으로서 인류에게 다음과 같이 호소한다.

여러분의 인간다움을 상기하라. 그런 다음에 나머지는 모두 잊어버려라.

만약 그렇게 할 수 있다면, 새로운 낙원으로 향하는 전망이 열릴 것이다. 만약 그렇게 할 수 없다면, 인류 전체가 멸종당할 위험이 여러분 앞에 다가오게 될 것이다" 하고 말입니다.

이케다 '러셀·아인슈타인 선언'을 원류로 삼은 그 정신은 퍼그워시회의의 창설 이후 일관되게 관철하셨지요.

강연 마지막에 널리 세계의 민중에게 지구 평화를 향한 자각과 책임을 말씀하신 점에 감명했습니다. 그것은 민간 수준에서 세계평화에 힘쓰는 사람들에 대한 크나큰 격려에도 통하기 때문입니다.

실은 '전 인류에 대한 충성'이라는 점에 관해서는 토인비 박사가 저와 나눈 대담집에서 이렇게 말씀하셨습니다.

"내가 최대의 충성을 바칠 대상은 인류이지, 내가 귀속한 국가도 아니고 이 국가를 지배하는 체제도 아닙니다."

"국가의 권한을 내가 적정하고 정당하다고 생각하는 정도의 기능으로만 한정하려면, 모든 인류는 지금까지와 같은 주권국가에 대해 종교적 헌신을 의무처럼 여기던 사고방식을 바

꿔야 하지 않을까요." (《21세기를 여는 대화》, 화광신문사)

로트블랫 물론 '전 인류에 대한 충성'이라고 해도 특별히 우리가 국가에 대한 충성심을 포기하라고 시사하는 것은 아닙니다. 우리에게는 가장 작은 집단인 가족부터 가장 큰 집단인 국가에 이르기까지 다양한 형태로 귀속 의식과 충성심이 있습니다.

그러한 좁은 충성심에 사로잡히지 않고 현재 국경을 초월해 세계적인 규모로 넓혀진 문제나 위협을 이겨내기 위해서도 한 사람 한 사람의 충성심을 인류 전체로 넓히는 일이 중요하다고 저는 생각합니다.

이케다 국익이 아닌 '지구익'과 '인류익'에 입각한 시대로 전환할 필요성은 해마다 발표한 'SGI의 날'(1월 26일) 기념제언 등에서 제가 반복해서 말한 부분이기도 합니다.

일찍이 철학자 야스퍼스[4]는 현대인에게 놓인 상황에 대해 '인간 상실, 인간적 세계의 상실이라는 심연에 빠질 것인가, 바꿔 말하면 결과로서 인간적 현존재(現存在) 일반의 정지를 택할 것인가, 아니면 본래적 인간에 대한 자기 변화로 또 예견되지 않은 본래적 인간을 향한 기회로 비약을 이룰 것인가 중 어느 쪽을 택해야 한다'고 경종을 울렸습니다.

시대의 주역은 어디까지나 민중입니다. 한 사람 한 사람이 '인간성'을 빛내 세계에서 비참이라는 두 글자를 없애기 위한 민중의 연대를 끈기 있게 넓힐 때 비로소 위대한 비약이 있습니다. 우리 SGI가 세계 192개국 지역에서 펼치고 있는 '인간혁명' 운동의 안목도 거기에 있습니다.

이 케 다 다 이 사 쿠 × 로 트 블 랫

제7장

'핵억지론'이라는 기만

핵비축의 잠재적 위험

이케다 지금 세계에서는 핵무기 보유국에 따른 핵삭감이 추진되지 않고 한편으로 핵확산의 위기가 현실화하고 있습니다. 그러나 핵위협이 급속히 높아지고 있음에도 불구하고 핵폐기에 대한 관심과 열의는 오히려 낮아지고 있습니다. 그런 현상을 우려하지 않을 수 없습니다.

그러면 제2차 세계대전 후의 핵시대를 돌아보며 지금 우리는 무엇을 해야 하는가. '핵무기 없는 세계'를 위한 구체적인 수단을 함께 대화했으면 합니다.

로트블랫 냉전 중 미국과 소련은 엄청난 양의 핵무기를 제조해 비축했습니다. 얼마 전 미국이 소유한 핵무기만으로도 히로시마형 원폭 100만 배의 파괴력에 상당한다는 시기도 있었습니다. 이는 우리의 문명을 파괴하기에 충분할 뿐 아니라 인류 전체를 멸망시키고도 남는 파괴력입니다. 그야말로 '인류가 단 하나의 행위로 자신들을 멸망시킬 수 있는 기술적 수단을 사상 최초로 보유했다'는 사실이야말로 핵시대의 두드러진 특징이라고 할 수 있습니다.

히로시마, 나가사키에 원폭이 투하되고 단기간에 실로 엄청난 수의 핵무기가 축적되어 몇 번인가 그것을 사용하기 일보 직전까지 갔습니다.

실제로 우리가 오늘날까지 궁극적 파국을 피해온 것은 고도의 위기 관리 시스템 덕분이라기보다 단지 행운이었기 때문이라고 해도 과언이 아닙니다.

이케다 지당한 말씀입니다. 냉전에 관해 '서방 진영이 공산 진영에 이겼다'든지 '핵이 평화를 지켰다'고 주장하는 사람들이 있는데 이는 편협한 견해라고 할 수 있습니다.

첫째, '평화를 지켰다'고 하는 경우 누구의 평화를 지켰다는 것인가.

현실에서 핵무기는 전쟁을 멀리하는 '평화의 수호신'이 아니라 동서의 상호 불신을 단계적으로 확대하고 전쟁을 빨아당기는 자석이 되었습니다. 그리고 핵무기는 종종 '대리전쟁'이라는 형태로 분열되었습니다.

핵무기는 한반도, 인도차이나, 중미 등의 사람들에게는 전쟁을 유발하는 '마성의 무기'가 되어버렸습니다.

둘째, 핵전쟁의 고비까지 간 '쿠바 위기'[1]에서는 억지력이 잘 작용하기는커녕 일반적으로 생각하는 것보다도 훨씬 위험한 상황이라는 것이 역사적으로 검증되었습니다.

당시 미국의 로버트 맥나마라[2] 국방장관은 '쿠바 위기의 해결은 당사자의 대응뿐 아니라 고도의 행운 덕분이었다. 인류는 두 번 다시 그러한 운에 의지하면 안 된다' '늘 잘못을 범하는 인간의 나약함과 핵무기가 끊임없이 결부함으로써 핵무기로 인한 대참사가 발생할 위험성은 매우 커진다'고 회상했습니다.

핵억지력은 기능을 발휘했는가

이케다 '위기 관리가 잘 됐다'고 생각하는 것은 결과론으로,

우발적 핵전쟁의 위험은 지금껏 몇 번이고 있었다고 보고되었습니다.
근래 잘 알려진 것은 1995년 1월 25일 러시아의 경우입니다. 노르웨이 앞바다에서 발사된 오로라 관측을 위한 연구 로켓이 핵미사일로 오인을 받아 대통령의 '핵 가방'이 처음으로 기동하였습니다.
고르바초프 대통령이 냉전을 끝낼 결의를 한 것도 최고 책임자로서 이러한 우발적 핵전쟁의 위험성을 통감했기 때문입니다.
일찍이 고르바초프 대통령이 제게 "세계의 정치 정세는 큰 충돌은 어떤 것이든 핵전쟁을 향해 발전해버릴 가능성이 있고 그렇게 되면 '사회주의'도 '자본주의'도 어떠한 이데올로기도 야망도 잿더미가 되어버릴 위험한 상황에 있었습니다"(《20세기 정신의 교훈》, 연합뉴스) 하고 역설한 것을 잊을 수 없습니다.
로트블랫 제가 지금 가장 우려하는 것은 많은 사람이 핵무기에 관한 기본적 사고를 이전부터 전혀 바꾸지 않은 점입니다. 특히 정치 지도자는 핵무기가 자국의 안전보장에 필요하다는 생각을 아직도 고집하고 있습니다. 그러나 핵무기가 계속 존재하는 한 인류 멸망의 위협도 늘 우리 곁에 존재합니다.

이케다 오늘날에도 지구상에 3만 발의 핵무기가 존재하는데 그중 전략 핵만 1만 2000발이라고 합니다.

로트블랫 왜 이렇게까지 핵무기를 늘려야 했는지 저는 아직도 전혀 이해할 수 없습니다. 서로 억제하기 위해서라면 지금의 100분의 1로 충분할 것입니다.

그러나 정책상 핵무기를 계속 만들어야 했습니다. 표면상으로는 공격무기가 아닌 억제 역할을 다하기 위해서입니다. '네가 공격한다면 즉시 보복하겠다. 아직 우리에게는 많은 핵무기가 남아 있으니까.' 이는 상호확증파괴(Mutual Assured Destruction)로 알려진 개념입니다.

상호 파괴를 막으려고 핵무기를 대량으로 보유하는 것은 물론 굉장히 위험한 정책입니다. 왜냐하면 그것은 서로 공포심 위에 성립되어 있기 때문입니다.

이케다 앞 글자를 따서 '매드(MAD)'라고 합니다. 이는 영어로 '미쳤다'는 의미이기도 합니다.

로트블랫 예. 거침없는 표현이라고 생각합니다. 서방 진영에는 지금도 '냉전시대에 소련의 공격을 억제해서 제3차 세계대전을 방지한 것은 핵무기였다'는 견해가 퍼져 있습니다.

그런데 오늘날까지 서방 진영의 역사가에게 확인이 가능한 소련의 공식 문서를 조사해도 억지력이 유효했음을 실증할 수 있는 것은 보이지 않습니다. 냉전이 끝나고 소련이 소멸해 동서를 갈라놓은 이데올로기의 분쟁도 과거의 일이 되었습니다. 그럼에도 불구하고 그 과거 시대적 사고만큼은 살아남아 현재 몇몇 나라의 정책을 지배하고 있습니다.

이케다 근본적으로 생각하면 핵무기를 폐기하는 것이 합리적임에도 불구하고 그렇지 못합니다. 여기에는 아인슈타인이 말한 '세계가 바뀌었는데 인간의 사고 양식이 바뀌지 않았다'는 이유에 덧붙여 경제적인 요인도 지적됩니다.

다시 말해 핵무기를 정점으로 하는 현재의 군사적 안전보장의 틀이 계속됨으로써 이익을 얻는 그룹이 존재합니다. 요컨대, 아이젠하워[3] 대통령이 말한 '군산복합체'[4] 등이 그것입니다.

그러나 그러한 거대한 벽에 가로막히면서도 핵폐기를 주장하는 시민의 소리가 제동을 걸어 핵군축의 국제적인 틀 만들기를 지지해온 것도 사실입니다.

히로시마와 나가사키에 원폭이 투하되고 5년 뒤에 발발한 한국전쟁[5] 때 미국은 핵을 사용할까 하다가 그만두었습니다. 이때 이미 핵폐기의 여론이 역사에 영향을 미쳤다고 합니다. 그 해 핵폐기를 바라는 '스톡홀름 어필'[6]에는 세계에서 실로 5억 명의 서명을 모았습니다.

국제사회의 모순이 테러의 온상으로

로트블랫 핵무기를 폐기하라는 소리는 이른바 '핵시대' 초기부터 전 세계가 강하게 주장했습니다.
히로시마와 나가사키에 원폭이 떨어졌을 때, 세계 사람들은 어떻게 반응했을까요. 그들은 원폭에 반대했습니다. 왜냐하면 원폭이 헤아릴 수 없는 파괴력을 가진 데다가 완전히 무차별적으로 파괴하는 무기임을 직접 목격했기 때문입니다. 많은 사람에게 핵무기가 과학기술의 비도의적인 이용임은 처음부터 분명했습니다.
핵무기가 비록 법률상 '합법'이라고 해도 도의상으로는 사용을 금지해야 한다는 인식이 있었습니다.

그리고 핵무기 사용을 도의적으로 허용하지 않는다는 합의는 물론 법적으로도 '위법'으로 만들기 위해 많은 사람이 거듭 노력했습니다.

이케다 핵무기 폐기를 위해 전진하려면 도의적인 접근과 아울러 법적인 접근도 중요하군요.

로트블랫 그렇습니다. 잘 알려지지 않은 일이지만 1946년 1월, 유엔 첫 총회에서 첫 번째 의결은 핵무기 폐기를 위한 것이었습니다.

그 결과, 핵에너지 발견으로 인한 여러 문제에 대처하는 위원회가 설립되었습니다. 이렇듯 유엔은 처음부터 핵무기를 강하게 반대하는 견해를 취했습니다.

그리고 1970년 핵확산금지조약(NPT) 발효로 핵폐기 요구에 법적인 지지를 받았습니다. 가맹국에는 '핵무기국' 5개국이 포함되었습니다. 이 5개국에는 스스로 핵군축을 추진할 법적 책임이 있다고 조약에 명시하게 되었습니다.

이 조약은 주로 두 부분으로 이루어져 있습니다. 첫째, 어느 나라든 핵무기를 입수하거나 생산, 설계, 구입하면 안 된다는 점입니다. 이는 '비핵무기국'이 핵무기를 절대로 보유하지 않는다는 것입니다.

둘째, 조인 당시 이미 핵무기를 보유한 5개국에 대한 내용입니다. 5개국은 미국, 소련, 영국, 프랑스, 중국입니다. 그 외에도 핵무기를 개발하는 나라는 있었지만 인식되지 않았습니다. 그중 한 나라가 이스라엘입니다. 그리고 한참 뒤에 인도와 파키스탄이 핵을 보유했습니다. 이것으로 핵무기를 보유한다고 공식 확인된 나라는 8개국이 되었습니다.

조약의 둘째 부분은 이들 8개국에 대한 것으로 핵군축을 요구하는 내용입니다. 이것이 조약의 가장 중요한 점입니다.

이케다 핵무기국에 성실히 핵군축 교섭을 하도록 의무한 제6조 규정이군요.

요컨대 NPT의 골격은 '핵무기국이 궁극적으로 핵을 폐기하겠다고 약속하는 대신 비핵무기국이 핵개발을 포기한다'는 점에 있습니다. '핵비확산'과 '핵군축'은 일체라는 점입니다. 그러나 실제로는 핵무기국이 제6조를 경시한 것이 현실이라고 할 수 있습니다.

로트블랫 그래서 2000년 NPT 재검토회의에서 핵무기국은 '핵 폐기를 향한 명확한 약속'을 강요받았습니다.

그런데 거의 모든 조인국이 폐기에 동의하고 그것을 현실화하는 구체적인 달성 목표가 정해졌음에도 불구하고 미국의 현 정권은 '이 조약은 핵무기가 영구히 존재하는 것이 전제'라고 생각하는 것 같습니다. 이것은 조약 위반입니다. 세계 최강국이 핵군축 조약을 위반한 것입니다.
우리는 문명사회를 살아가고 있습니다. 문명사회는 '법에 따른 통치'가 이루어지는 사회입니다. 법률에는 국내법과 국제법이 있습니다. 사회 전체는 우리가 그것을 따름으로써 유지되고 있습니다. 조약에 조인하면 약속은 지켜야 합니다.

이케다 되돌아보면 2000년 재검토회의의 '핵폐기를 향한 명확한 약속'에 이르기까지 1990년대는 핵무기를 비합법으로 만들기 위한 노력에 큰 성과를 낸 10년이었습니다.
국제사법재판소[7]에 따른 '핵은 국제법에 일반적으로 반한다'는 권고적 의견(1996년 7월), 포괄적핵실험금지조약(CTBT) 채택(1996년 9월), 각 지역에서의 비핵지대조약·구상의 전진 등이 보였습니다.
그러나 2001년 '9·11' 사건을 경계로 세계는 '테러'와 '테러와의 전쟁'이라는 대규모 폭력의 연쇄에 말려든 감이 있습니다.

핵에 관해서도 테러리스트나 이른바 '무법자 국가(악의 축)'와의 연계, 다시 말해 '핵확산' 위협이 크게 높아지는 한편 핵보유국이 소지하는 방대한 핵무기의 삭감에 관해서는 엄하게 추궁하지 않은 채로 있습니다. 이런 국제사회의 불공정이나 왜곡은 결국 새로운 테러를 낳는 온상이 될 것입니다.

로트블랫 테러와 핵무기의 관계에 관해 저는 이렇게 생각합니다. 핵에 의한 테러는 핵억지 정책의 연장선상에 있다고 말입니다.

왜냐하면 '핵억지'라는 사고방식은 테러리즘의 궁극적인 모습입니다. 다시 말해 자신의 정치적 사고나 사상을 유지하려면 핵무기 사용도 불사한다는 것이므로 그것은 '테러' 그 자체입니다.

그러나 생각해보면 이는 여차하면 각국의 지도자가 블라디미르 푸틴이든 조지 W. 부시든 세계를 파괴하기 위한 버튼을 누를 수 있는 정신구조여야 한다는 것을 의미합니다. 이러한 상태를 우리는 테러리즘의 일종이라고 생각합니다.

이케다 '테러'라는 말은 지금은 일반적으로 '국가 이외의 집단에 의한 폭력'에 사용되지만 프랑스 혁명[8]의 독재자 막시밀리앙 로베스피에르[9]에 의한 '공포정치'가 어원이라서 본디 통치권력에 의한 폭력에 사용한 말입니다.
저는 아우구스티누스[10]가 전한 알렉산더 대왕[11]과 해적의 대화가 떠오릅니다.
대왕이 바다를 휩쓰는 해적을 꾸짖자 해적은 거침없이 이렇게 대꾸했다고 합니다.
"저는 자그마한 배 한 척으로 일을 해서 해적이라고 불리지만, 폐하는 큰 함대를 거느리고 일을 해서 황제라고 불리는 것입니다."
여하튼 아난 유엔 사무총장을 비롯해 많은 사람이 우려하고 있듯이 특히 '9·11' 이후 '테러'라는 말이 여러 일을 극단적으로 단순화해 다른 중요한 과제가 보이지 않게 만드는 도구로 남용되는 면이 있다고 할 수 있습니다.

로트블랫 세계에 이토록 '테러'가 만연하는 까닭은 폭력에 의존하는 정책의 결과라고 저는 생각합니다. 만약 테러리즘과 싸운다면 미국이 제안하는 전략이 아니라 '평화의 문화'를 기르는 데서 시작해야 합니다.
우리 어른은 자주 젊은이들에게 '폭력으로 치달으면 안 된다'

고 말합니다. 그러나 젊은이들은 어른들이 인간이 발명할 수 있는 가장 나쁜 무기로 평화를 실현하려는 것을 알고 있습니다. 이러한 어른들의 사고는 결국 '폭력의 문화'를 낳게 됩니다.

핵폐기만이 현실적인 사고

이케다 지당한 말씀입니다. 우리는 '폭력의 문화'를 낳은 원인에 관해 좀 더 생각할 필요가 있습니다.

제3세계의 사람들은 오랫동안 식민지 지배 등으로 인한 직접적 폭력이나 빈곤과 불평등이라는 간접적인 이른바 '구조적 폭력'으로 인간으로서의 존엄을 짓밟혔습니다.

그런 적대심과 불만이 현대 세계에서 테러를 낳는 배경이기도 합니다. 종교 간 대립 또는 문명 충돌이라는 관점만 보고 있으면 문제를 잘못 보고 있는 것이 아닐까요.

물론 테러는 절대 용서하면 안 됩니다. 테러를 방지하기 위한 국제적 틀도 필요할 것입니다.

그러나 그것들은 테러 대책의 절반으로, 테러를 근본적으로 해결하지는 못합니다. 다른 한편으로 테러를 낳는 동기 그 자체에 대한 대처가 이루어져야 합니다. 바로 '공정'과 '공생'을 기초로 한 지구사회의 건설입니다.

그리고 그러한 국제사회로 전진하는 한 걸음으로서 핵을 폐기하고 '인류 멸망'의 위협이라는 근본적인 위험을 없애야 합니다.

이 점에 관해 박사와 퍼그워시회의는 오랫동안 연구해 큰 성과를 축적했습니다.

그래서 '핵폐기는 정말 가능한가' '현실에서 어떠한 방법을 생각할 수 있는가'라는 점을 여쭙고 싶습니다.

로트블랫 지금까지도 언급했지만 베를린 장벽이 붕괴한 직후인 1990년, 퍼그워시회의는 핵무기 없는 세계의 실현에 관해 연구해 그 성과를 1993년에 '핵무기 없는 세계, 바람직한가? 가능한가?'로 정리했습니다.

우리 말고도 권위 있는 연구기관 몇 군데에서 '핵무기 없는 세계'를 위한 포괄적 연구를 실시했습니다. 워싱턴의 헨리 L. 스팀슨센터[12]나 미국과학아카데미 국제안전보장·군비관리연구위원회[13] 등입니다.

또 국제사법재판소의 권고적 의견이나 17개국의 60명으로 구성된 장군·제독급의 국제군인그룹의 성명[14]도 주목할 만합니다.

특히 캔버라위원회[15]가 1996년 8월에 낸 보고서가 가장 중요합니다.

위원회의 보고서는 '왜 우리는 핵무기를 폐기해야 하는가'라는 물음에 '어떻게 폐기할 것인가'라는 고찰을 덧붙였습니다.

이케다 박사도 17명의 위원에 속하셨지요. 보고서의 구체적 내용은 세계의 주목을 모았습니다.

로트블랫 예. 처음의 두 가지 제안은 순수하게 군사적인 성격을 띱니다. 다시 말해 '핵전력의 경계태세 해제'와 '발사장치에서 핵탄두 제거'입니다.

이들 조치는 핵무기의 우발적 또는 미인가(未認可) 발사의 위험을 극적으로 감소시키는 것입니다. 이 두 가지는 실행하려면 꽤 빨리 실행할 수 있을 것이라고 생각합니다.

세 번째 제안은 '비전략 핵무기 배치의 정지', 네 번째 제안은 '핵실험 정지', 다섯 번째 제안은 '미국과 러시아의 핵전력 삭감 교섭 촉진'입니다.

그리고 가장 마지막 제안으로 캔버라위원회는 '핵무기 선제 불사용 및 핵무기 원칙 불사용에 관한 합의의 성립'을 원하고 있습니다. 저는 이 점이 핵무기의 완전 폐기를 위한 단계에서도 가장 중요하다고 생각합니다.

왜냐하면 이 합의가 실현되면, '비핵무기국에서의 공격을 억제하려면 핵무기가 필요하다'고 설하는 오늘날의 핵정책에 근본적 변화를 가져와 하나의 큰 벽을 부수게 되기 때문입니다.

이 핵무기 선제 불사용 원칙은 이른바 '소극적 안전보장'이라는 형태로 이미 실시되었다고 해도 과언이 아닙니다. 핵무기국은 1995년의 NPT 연장·재검토회의에서 'NPT 체제에 참여한 여러 나라에 핵공격을 하지 않겠다'는 견해를 재확인했습니다. 그러나 이 보장에는 제한 요인이 몇 가지 있고, 보장 가치가 크게 낮아졌습니다. 또 이 보장은 핵무기국의 일방적 선언이라는 형태를 띠고 있었습니다. 결국은 일방적으로 철회할 수도 있다는 뜻입니다.

이케다 박사가 우려하신 대로입니다. 미국의 핵태세 검토의 움직임에서 보이듯이 현재의 국제사회에서는 핵을 '사용할 수 있는 무기'로 연명시키려고 합니다.

로트블랫 러시아도 옛 소련이 선언한 핵무기 선제 불사용 정책을 포기했습니다. 이러한 상황에서 보면 저는 각국의 자발적 선언이 아니라 '핵무기 선제 불사용 조약'을 체결해야 한다고 주장했습니다.

이케다 찬성입니다.

그런데 핵폐기를 '비현실적'이라고 여기는 사람들은 그 이유 중 하나로 '인간은 한 번 얻은 기술을 놓지 못하기 때문'이라고 주장합니다. 핵폐기를 세계가 합의해도 반드시 핵을 개발하는 사람이 나올 것이고, 그래서 폐기는 현실적이지 않다는 의견입니다. 이러한 의견에 박사는 어떻게 반론하셨습니까?

로트블랫 캔버라위원회 보고서 등에 집약된 핵폐기를 지지하는 논리는 쉽게 공격할 수 있는 것이 아닙니다.

그래서인지 핵무기를 지지하는 사람들은 그 논의의 방향성을 바꿨습니다. 요약하면 다음과 같습니다.

'핵이 없는 세계는 안전하지 않다. 만약 핵무기를 금지하는 조약에 일반적 합의가 성립해 또 실시되었다고 해도 조약을 위반하지 않는다는 보장은 어디에도 없다'고 말입니다.

속된 표현을 빌리면 이는 '알라딘의 요술램프에서 요정 지니가 한 번 나오면 램프로 다시 돌아갈 수 없다'는 것입니다.

분명 우리는 핵무기 제조법에 관한 지식을 기억에서 지울 수 없습니다. 핵이 없는 세계가 되었다고 해도 어느 나라가 미래의 어느 시점에서 비밀리에 핵무기를 배치해 다른 나라들을 위협하거나 나아가 세계 전체를 자기 앞에 무릎 꿇게 만들려고 시도하지 않는다고는 누구도 보장할 수 없습니다.

그러나 그 점이 핵무기를 금지하지 못할 이유가 될 수는 없습니다. 이러한 논의가 받아들여지면 그 논의는 모든 군축 조치·조약에 정면으로 대립하는 것이 되기 때문입니다.

그 반증으로 1997년 4월에 발효한 화학무기금지조약[16]을 들 수 있습니다. 화학무기를 제조하는 지식도 핵무기의 경우와 마찬가지로 없앨 수 없습니다. 그리고 화학무기는 핵무기보다도 간단하게 다시 제조할 수 있습니다. 그럼에도 불구하고 화학무기금지조약을 맺은 것이 아니겠습니까.

이케다 그렇습니다. 그에 덧붙여 한 번 얻은 지식은 없앨 수 없다고 해도 사용하지 않는 경우는 있습니다.

예를 들어 일본에서는 16세기 전국시대 때 세계 최고의 총포 기술을 자랑했지만, 이어지는 에도시대에 도쿠가와 정권[17]은

총과 화약 생산을 관리하고 도검 시대로 돌아가는 선택을 했습니다. 그 결과 이백 수십 년 동안 평화로운 시대가 이어졌습니다.

시대와 배경이 다르다고는 하지만 인간의 의지로 한 번 얻은 기술을 봉인할 수 있다는 하나의 예라고 말할 수 있습니다.

핵무기는 '대량파괴무기'라고 일컫듯이 다른 무기와는 파괴력이 전혀 다른 악마의 무기입니다. 그러나 이것을 너무 특별히 여긴 나머지 폐기는 극히 어렵다고 생각하는 심리적인 함정에 빠지면 안 됩니다. 하면 할 수 있다는 굳은 결의와 의지가 중요합니다.

또 핵무기가 법적으로 금지된 세계에서는 핵을 보유하는 행위는 지금보다도 훨씬 '수치스러운 행동'으로 받아들여질 것입니다.

예를 들어 과거 노예제도나 남아프리카공화국의 아파르트헤이트(인종분리정책)[18]와 같은 것을 지금 부활시킨다고 하면 어떻게 될지를 상상하면 될 것입니다. 세계에서 비난받고 제재 등도 발동될 것입니다.

그래도 말씀하신 대로 핵무기 금지 후 '선수를 칠 가능성'이 완전히 없다고는 말할 수 없습니다. 그러므로 어떻게 사찰할지가 중요한 열쇠가 되지 않을까요.

로트블랫 전적으로 동의합니다. 화학무기금지조약의 경우와 마찬가지로 핵무기금지조약에도 조약 위반의 가능성을 극소화하는 강력한 사찰 체제의 도입을 바랍니다. 이미 이 사찰 체제에 관해서도 여러 연구를 실시하고 있습니다. 물론 100퍼센트 확실한 사찰 체제는 있을 수 없습니다.

그런 의미에서는 핵이 없는 세계에서도 완전한 안전보장 체제를 확립할 수는 없습니다. 그러나 적어도 그것이 핵이 있는 세계보다 더욱 안전해지도록 만들 수는 있습니다. 그리고 이것은 꽤 실현 가능하다고 할 수 있습니다.

이케다 실제로는 어떠한 사찰 체제를 생각할 수 있습니까?

로트블랫 두 종류의 체제가 있습니다. 첫 번째는 기술적인 것입니다. 떨어진 곳에서 관찰할 수 있는 검증, 사찰기술 등입니다.

두 번째는 제가 추천하는 '사회적 사찰'입니다. 그다지 알려지지 않은 두 번째 방법을 채용함으로써 핵무기금지의 보장을 더욱 높일 수 있습니다.

이 사회적 사찰에서는 전문가뿐 아니라 모든 시민, 공동체 전체의 구성원이 핵무기금지조약의 유효성 확보를 위해 움직이게 됩니다.

법적으로는 핵무기금지조약에 다음과 같은 규정을 둘 필요가 있습니다.

'동 조약의 조인국은 모든 국민에게 의도적으로 조약 위반을 범하는 행위를 적절한 국제기구에 통보할 권리와 의무가 있음을 자각시킨다. 그리고 그것을 정한 국내 법규를 만들어야 한다'는 규정입니다.

이케다 그렇군요. 국내 법규를 정함으로써 시민에 의한 핵사찰 체제를 더욱 확실히 하는 것이군요.

로트블랫 그렇습니다. 이 사회적 사찰시스템에서는 시민이 '사찰관' 역할을 하는데 그중에서도 과학자들의 역할이 특히 중요합니다.

무법자 국가나 테러 조직이 비밀리에 핵개발을 하려면 실험실 설치, 특수기기 정비 등이 불가결한데 이것들은 꽤 자세한 전문지식을 가진 과학자의 조력 없이는 우선 불가능하기 때문입니다.

내친 김에 말하면 다른 어떠한 과학·기술 분야에 관해서도 같은 것을 말할 수 있습니다. 사회에 유해한 연구가 진행되고 있음을 알게 되면 그것을 고발하는 것을 과학자의 의무로 삼아야 합니다. 이런 종류의 보고 책임은 그것이 익명이든 또는 다른 형태든 과학자의 윤리상 행동 규범의 일부로 삼아야 합니다.

저는 사회에 위험한 행동에 관해서는 과학자의 '보고' 행위를 법적으로 보호해 그것이 기밀사항의 누설일지라도 형벌을 면제할 것을 제안합니다.

이케다 사회적 사찰을 가능하게 만들려면 과학자를 포함해 모든 시민이 자신의 '양심'에 충실히 행동할 수 있는 환경을 보장하는 일이 불가결하다는 말씀이군요.

이 제도를 기능시키려면 우선 한 사람 한 사람이 강한 신념과 윤리관을 갖고 행동하는 일이 중요합니다. 그러기 위한 시민 교육이나 명확한 정보 제공이 무엇보다도 필요할 것입니다.

다음으로 그러한 행동에 동기를 부여하고 보장하는 법률을 정비하는 일이 중요합니다.

전쟁이 없는 세계는 현실적인 선택

로트블랫 저는 정치적 의지나 노력을 수반한 형태로 지금까지 말한 제안이 실행된다면 20년에서 30년 사이에 핵무기 완전 폐기 또는 전면적 사용 금지에 도달할 수 있다고 믿습니다. 그렇게 되면 핵전쟁의 위험은 대폭 줄어들 것입니다. '없어진다'고 말하지 않고 '대폭 줄어든다'고 말하는 까닭은 장래에 핵무기가 다시 축적되고 다시 냉전시대로 되돌아갈 가능성을 완전히 부정할 수는 없기 때문입니다.

게다가 인류를 갑자기 파멸로 몰아넣는 기술은 핵무기만이 아닐지도 모릅니다.

그럼 어떻게 하면 인류의 존속을 확보할 수 있을까요. 답은 뻔합니다. 근본적인 위협은 모두 전쟁에서 나온 것이기에 전쟁을 그만두면 됩니다. 다시 말해 파국을 막는 궁극적인 방법은 전쟁 그 자체를 완전히 없애는 수밖에 없습니다.

많은 사람에게 전쟁이 없는 세계라는 생각은 공상적이고 기발하고 현실미가 없는 비전일 것입니다. '핵무기 없는 세계'의 비전을 받아들이는 사람들조차 '전쟁 수행능력이 없는 나라들로 이루어진 세계라는 발상은 비현실적'이라고 생각할지도 모릅니다.

그러나 예를 들어 역사상 전쟁을 대부분 풍토병처럼 여기던 유럽에서는 이전에는 불구대천의 원수인 나라들도 포함해 이제는 수많은 나라가 유럽연합(EU)에 속해 있습니다. 분쟁이 일어난 경우에도 그것을 군사적으로 해결하려고는 누구도 생각하지 않을 것입니다. 세계의 다른 지역에서도 군사독재정권이 붕괴하고 민주적 정치 형태가 유일한 규범으로 자리 잡고 있습니다.

이제 전쟁의 무의미함에 대한 인식은 높아지고 있고, 군사 대결을 회피하려는 사람들의 순수한 의지도 시대의 전면에 크게 나타나고 있습니다.

이케다 그렇습니다. EU도 통합을 가능하게 만든 것은 '두 번 다시 비참한 전쟁을 일으키면 안 된다'는 강한 정치적 의지와 많은 사람의 절실한 바람이었습니다.

파스칼[19]이 '사람은 올바른 것을 강하게 만들 수 없기 때문에, 강한 것을 올바르다고 여겼다'고 말했듯이 지금껏 인류의 발자취는 강자가 힘으로 밀어붙여 약자를 지배한 역사였습니다.

그 속에서 '폭력을 멈추라' '전쟁을 그만두라'고 말하는 것은 때때로 비현실적으로 비쳤을 것입니다.

그러나 지금 정보과학기술 등이 발전해 시민의 '비폭력 연대'를 세계로 넓히는 일도 가능해졌습니다.

비정부기구(NGO)[20]에 의한 지뢰금지 국제캠페인이 대인지뢰전면금지협약[21]으로 결실을 맺은 것도 평화를 바라는 사람들의 의지가 세계적인 조류가 되어 결실을 맺은 예입니다.

앞으로의 세계 추세에 관해서는 당연히 여러 견해가 있겠지만 저는 큰 흐름으로 인류가 '전쟁이 없는 세계'로 향하고 있다고 믿습니다. 또 그렇게 되어야 합니다.

시성 타고르[22]는 이렇게 말했습니다.

"잘못이라는 것은 자주 이것저것 오랜 시간을 투자해서 심지어 분규가 더욱 심해지지만 정답은 늘 바로 나옵니다."

'핵무기를 없애라' '전쟁을 그만두라'는 명쾌하고 옳은 메시지를 반드시 세계에 당당히 외쳐야 할 시대를 맞았습니다.

이케다 다이사쿠 × 로트블랫

제8장

전쟁이 없는 세계를 – 유엔과 세계시민

더욱 민주적인 '유엔 개혁'을 위한 구체적 방안

이케다 인류의 역사는 종종 '전쟁과 폭력이 끊이지 않은 역사'였다고 일컫습니다. 안타깝지만 그 말은 사실이라고 할 수밖에 없습니다. 그러나 인간의 역사는 그와 동시에 전쟁과 폭력이 낳은 참화를 없애고자 부단한 도전과 노력을 거듭한 역사이기도 했습니다.

게다가 엄청난 인명이 희생된 20세기를 통해 우리는 국제사회에 평화를 구축해야 한다는 영웅들의 노력 덕분에 '힘의 지배'에서 '법의 지배'로 합의하는 체계를 만들었습니다. 말할 나위 없이 그 중심에 위치하는 단체가 바로 '유엔'입니다.

그러나 오늘날, 그 '법의 지배'도, '유엔'도 절박한 위기를 맞았다고 할 수 있습니다.

아난 사무총장은 2004년 9월, 유엔총회 연설에서 이렇게 강하게 경고했습니다.

"법 위에 존재하는 사람도 없고 법의 보호를 받지 않아도 되는 사람도 없다는 원칙에서 시작해야 합니다. 국내에서 법의 지배를 표방하는 국가는 국외에서도 그것을 존중해야 합니다. 또한 다른 나라에 법의 지배를 주장하는 국가는 국내에서도 그것을 준수해야 합니다."[1]

그리고 사무총장은, 유엔은 제2차 세계대전이라는 참화 중에 탄생했다는 원점으로 되돌아가 '법의 지배'를 감독하는 요새로서 유엔을 되살려야 한다고 주장했습니다.

저도 '법의 지배'를 없애고 '힘의 지배'를 정당화하려는 움직임이 21세기에 들어서도 계속 일고 있어 걱정입니다.

로트블랫 '전쟁이 없는 세계'를 구축하려면 국제적인 통치체제가 필요합니다. 그리고 그 목표를 이루기 위한 첫걸음이 유엔을 되살리는 일입니다. 따라서 저는 그 출발점에서 유엔을 지지하는 사람이었습니다.

유엔에는 현재 191개국이 가맹되어 있습니다. 물론 각 국가는 저마다 경제적 상황이나 문화적 전통이 다르기 때문에 개인의 문제를 다루는 데도 견해가 다양합니다. 그것을 바람직한 상태로 이끌려면 어려움도 따르고 시간도 걸립니다. 그래서 유엔은 때때로 결론에 이르기까지 너무 오랜 시간을 소비해 무력하다는 말을 듣습니다.

그러나 민주적으로 문제를 해결하려면 이 방법밖에 없습니다.

이케다 확실히 민주제는 완전무결하지 않고 문제점이 많은 제도입니다. 그러나 민주제보다 더 나은 정치체제가 존재하지 않는 것도 사실입니다. 처칠의 '민주주의는 최악의 제도다. 지금까지 존재한 모든 정치제도를 제외하면'이라는 말은 무척 유명합니다.

'국제사회에서 민주주의를 구현하는 곳'인 유엔에 관해서도 이와 같이 말할 수 있다고 생각합니다. 유엔은 어느 때는 비효율적이고 무력해 보일지도 모릅니다. 그래도 유엔은 현실에서 기능하고 있고, '유엔이 없는 세계'보다 있는 편이 더 낫습니다. 1961년 케네디 대통령이 주장한 유엔 연설의 한 구절은 오늘날 세계에서 더욱 깊은 의미로 우리에게 다가옵니다.

"만약 유엔을 없애거나 활력을 잃게 하고 힘을 떨어뜨린다면, 우리의 미래에 모든 희망을 빼앗는 것과 같다."[2]

로트블랫 '전제군주' 아래 반대 의견을 말하는 일도 허용되지 않고 모든 일이 재빨리 처리되는 구조를 택할 것인가.

시간이 걸리고 노력이 필요하더라도 모두 이해하는 합의점을 찾는 길을 택할 것인가. 우리가 스스로 선택할 수밖에 없습니다.

후자인 '민주주의의 길'을 선택하고 싶다면 다양한 사람들, 여러 그룹이 각자의 의견을 말하는 기회를 제공해야 합니다. 따라서 비정부기구(NGO)의 역할이 더욱 중요해집니다.

이케다 최근 유엔을 중심으로 한 '다국간 틀'을 어떻게 존중할 것인가, 국제사회는 어려운 선택을 해야 했습니다.

이라크 전쟁[3]을 둘러싼 갈등이 보여주는 것은 '다국간 틀'을 존중하지 않는 한 국제사회는 본래의 기능을 다할 수 없다는 점입니다. 그런 의미에서 지금 거론되는 '유엔의 위기'는 '변혁을 위한 기회'라고도 할 수 있습니다. 따라서 유엔 개혁을 좁은 발상이 아니라 어떻게 하면 유엔을 진정으로 활성화하여 강화할 수 있느냐는 관점에서 성과로 이끌어야 하지 않을까요.

그리고 유엔 개혁의 방향성은 박사가 지적하셨듯이 '민주주의'를 추진하는 것이어야 합니다.

먼저 '국가 간 민주주의 원칙의 존중'입니다. 여기에는 유엔의 안전보장이사회[4]를 구성하는 상임이사국의 문제도 포함됩니다. 앞으로는 상임이사국이 행사하는 '거부권'의 철폐도 논의되어야 할 것입니다.

또 다른 민주주의의 방향은 유엔의 의사 결정에 국가 더 나아가 민중, 구체적으로는 NGO의 의사를 더욱 반영해야 합니다.

이 점에 관해 저는 해마다 연초에 'SGI의 날'(1월 26일) 기념제언에서 개혁 방안을 제안해 역대 사무총장에게 직접 호소했습니다.

예를 들어 유엔총회를 현행 국가의 대표가 참여하는 총회와 NGO나 유엔의 '글로벌 콤팩트'에 참여하는 기업, 노동조합 등 시민과 민간 조직이 참여하는 '민중총회'의 '이원제'로 개혁의 방향을 생각할 수 있습니다.

아난 사무총장이 2005년 3월에 발표한 유엔 개혁 보고서에는

'유엔총회'에 관해 '시민사회와 전면적 또는 조직적으로 협력하기 위한 메커니즘을 확립해야 한다'고 씌어 있습니다. 유엔의 단호한 결단과 부단한 노력을 기대하는 바입니다.
또 유엔의 고질적인 재정 부족에 관해서도 각국의 분담금 지불과 더불어 민간에서 폭넓게 자금을 모으는 방법을 검토해도 좋다고 생각합니다. 이 점에 관해서는 부트로스 갈리[5] 전 유엔 사무총장과 만났을 때 제언하기도 했습니다.

로트블랫 저는 민중에게는 사회에 영향을 미치는 힘이 있다고 믿습니다. 어떠한 노력도 헛된 것은 없습니다. 연못에 작은 돌을 던지면 물결이 일어납니다. 그 물결은 점차 작아지기는 해도 완전히 사라지지는 않습니다. 그리고 누구에게나 사회를 바꾸는 이 물결을 일으키는 힘이 있습니다.
우리 한 사람 한 사람에게는 일체를 바꾸는 힘이 있습니다. 그 힘을 NGO와 같은 형태로 결집하면 틀림없이 사회에 영향을 미치는 힘도 커질 것입니다.

이케다 게다가 이른바 글로벌리제이션(지구의 일체화)의 진행에 따라 안전보장, 인권, 환경, 개발, 문화의 다양성 등 유엔이 관여하는 모든 문제를 국가 간 교섭과 계약만으로는 해결할 수 없게 되었습니다.

글로벌리제이션에 대응해 지구 전체를 어떻게 통치하고 운영할지, 그 방법도 바뀔 수밖에 없습니다. 이 경우 박사가 말씀하신 대로 시민 섹터의 역할이 늘면 늘었지 줄지는 않습니다.

실제로 이미, 실체적으로도 시민 섹터는 유엔의 단순한 '협력자'라기보다 유엔을 지지하는 주요 핵심 단체 중 하나입니다. 세계의 1000개가 넘는 NGO 단체가 연대해 결실을 이룬 '대인지뢰금지조약'이나 국제사법재판소에 핵무기의 위법성을 되물은 '세계법정프로젝트' 등 시민사회가 국제정치를 움직이는 일도 현실이 되었습니다.

흔들리는 국가 구조와 민중의 '연대'

로트블랫 중요한 것은 연대입니다. 연대를 맺으면 세계를 바꿀 수 있습니다. 그것은 시간이 걸릴지도 모릅니다. 하지만 멀리 내다보면 마지막에는 민중이 승리합니다.

물론 인간의 양심을 바탕으로 한 이상(理想)이 정부의 중요한 정책을 결정하는 기준이 되려면 더 시간이 걸릴 것입니다. 그러나 이미 많은 자원봉사 조직과 NGO가 특정 목적을 위한 활동을 하며 그것을 채용하고 있습니다.

이러한 단체 중에는 국제적십자처럼 꽤 오랜 역사를 가진 단체도 있지만, 대부분 최근 수십 년 사이에 결성되었습니다. 예를 들어 국제앰네스티[6], 옥스팜[7], 그린피스[8], 사회적 책임이 있는 국제의사회 그리고 당연히 퍼그워시회의도 이에 포함됩니다.

이러한 단체는 국제적인 사회운동을 추진하면서 시민이라는 단어가 갖는 의의를 확대하고 인류를 생각하는 충성심을 키우는 데 실질적으로 공헌하고 있습니다.

이케다 맞습니다. 1914년에 1083개이던 국제 NGO 수가 2000년에 3만 7000개를 넘었다는 보고가 있습니다.

국경을 초월한 시민 연대의 확대는 무엇보다 먼저 '지구 환경 문제'의 충돌에 대응하는 것이었는데, 최근 국가 중심의 통치 체제를 점검해 이의를 제기하는 움직임이 크게 넓혀지고 있습니다.

이러한 상황을 볼 때마다 저는 토인비 박사가 쓰신 대저(大著)

토인비 박사(오른쪽)와 대화를 나누는 이케다 SGI 회장(1972년, 런던).

《역사의 연구》가 떠오릅니다. 박사는 문명의 중심에 군림하는 세계국가의 등장을 문명이 가장 번성한 시기가 아니라 쇠퇴해 종언하는 과정에서 나타난다고 보셨습니다.
다시 말해, 문명의 쇠퇴기에는 문명의 내부 분열이 일어나 지도자가 힘의 지배로 패권을 유지하려고 하여 '세계국가'가 등장합니다. 그러나 이 '세계국가'는 '외적 프롤레타리아트(무산계급)'가 외부에서 행사하는 물리적, 폭력적 저항과 '내적 프롤레타리아트'가 내부에서 행사하는 정신적, 비폭력적 저항을 야기시켜 종언으로 향합니다. 그리고 이 '내적 프롤레타리아트' 중에서 다음 문명의 정신적 기반이 탄생합니다.
여기서 저는 '세계국가'를 특정 국가에 빗대는 것도 아니고 파괴적인 방향으로 가기를 바라는 것도 아닙니다. 핵무기나 환경, 빈곤문제를 비롯해 지구사회의 파멸과 직결하는 여러 문제에 국가 지도자들이 충분히 대처할 수 없는 상태에서는 여론을 움직이고 국경을 초월해 비폭력과 공생의 새로운 흐름을 창조하는 '세계시민의 연대'가 특히 중요하다고 생각합니다.
세계의 192개국·지역의 시민 연대인 우리 SGI에도 그 일익을 담당하는 책임이 있다고 생각합니다.

토인비 박사도 저와 나눈 대담에서 새로운 문명의 정신적 기반이 동아시아에서 탄생해 평화를 향한 흐름이 만들어질 것이라고 기대하셨습니다.

로트블랫 말씀하신 대로 '전쟁이 없는 세계'라는 사고가 보편적 지지를 얻으려면 안전보장에 관한 새로운 사고 양식을 가져야 합니다. 군사분쟁이 인류의 존속 자체를 위협하는 위험성이 있는 오늘날, 우리는 진지하게 그 위협을 제거하는 방법을 생각해야 합니다.

아주 오랜전, 인간의 최대 관심사가 '가족의 안전'이었듯이 그리고 이후 그것이 '자기 나라의 안전'으로 발전했듯이, 오늘날 우리는 '인류 전체의 안전'을 의식해야 할 시대에 들어섰습니다.

역사의 흐름 속에서 인간은 점차 충성심의 대상을 더 커다란 집단으로 바꾸었습니다. 우리는 지금 그 마지막 단계를 딛고 넘어 '인류 전체에 대한 충성심'을 길러야 한다고 생각합니다. 문제는 '인류'라는 개념이 사람들 의식 속에서 추상적이고 막연한 것으로 받아들여지기 쉽다는 것입니다.

확실히 65억이 넘는 인간으로 구성된 집단을 가깝고 친근하게 여기면서 따뜻한 개인적 감정을 품는 일은 어려울지도 모릅니다. 그러나 충성심의 문제만을 들자면 집단의 크기 자체는 별로 문제가 되지 않습니다.

예를 들어 인구가 2억 6000만 명에 달하는 미국은 배경이 매우 다양한 민족, 인종으로 구성되어 있는데, 그 시민은 미국보다 10배나 작은 국가의 국민보다 더 강한 귀속의식을 갖고 있습니다.

크기보다 더 중요한 점은 가치관을 공유하는가, 정치적 문제에 적극적으로 참여할 능력이 있는가, 국가가 직면한 경제적·사회적 문제가 공통의 관심거리인가 아닌가입니다. 이러한 요인이 갖추어지면 인류 전체에 대한 충성심을 기르는 데도 마침내 전망이 밝다고 할 수 있습니다.

근본은 '세계시민'이라는 의식을 강화하는 것

이케다 마키구치 쓰네사부로 창가학회 초대 회장은 지금으로부터 약 100년쯤 전에 이렇게 말씀하셨습니다. "가까운 지역에 뿌리를 내린 '향토민', 국가에 존속하는 '국민', 세계를 인생의 무대로 삼는 '세계인' 인간에게는 이 세 가지 자각이 다 있어야 한다."

다시 말해, '향토' '세계'라는 양쪽에 확고한 발판을 두고 두 가지 관점을 가져야 비로소 인간은 자신을 국가나 민족의 틀에 가둔 편협한 사상에서 해방할 수 있다는 사고방식입니다.

마키구치 회장은 일본이 파시즘에 치우치는 속에서 평생 동안 이러한 신념을 굽히지 않았습니다.

국가주의는 특정한 시대 상황에서 인위적으로 형성된 사상입니다. 한편 패트리오티즘(애국심)은 시대를 뛰어넘어 존재하는 인간의 자연스러운 감정이고, 그 대상은 국가라는 틀에 제한되지 않습니다.

예를 들어 제가 만난 우주비행사들도 우주 공간에서 지구를 바라보았을 때 지구에 강렬한 파트리(향수)를 갖고 진정한 '지구민족'의 의식을 느꼈다고 이구동성으로 말씀하셨습니다. 그것은 자신에게 인류익의 관점에 선 발언과 행동을 촉구했다고 할 수 있습니다.

저도 박사가 말씀하셨듯이 '세계시민'이라는 의식 강화가 근본이라고 생각합니다.

로트블랫 세계시민이 되기 위해 극복해야 할 가장 어려운 문제 중 하나는 각각의 국가에 강한 귀속의식을 가진 사람들 사이에 발생하는 분쟁을 어떻게 해결하느냐입니다.

과거 수세기에 걸쳐 발전한 근대국민국가는 그 특질상 각자 국민으로서 갖는 자아를 강력하게 보호하려고 했습니다. 요컨대, 그 존재의 기반을 국가주권에 두고 다른 국민국가와의 차이를 강조하는 경향이 강합니다.

또한 국민국가의 주요 기능 중 하나는 자국민을 타국의 위협에서 보호하는 데 있고 그것은 다시 말해, 전쟁 수행 능력을 유지할 권리로서 받아들여졌습니다. 이것에 관해 국제정치학자 아나톨 라포포트[9]가 이렇게 말했습니다.

"국가의 자립성은 주권으로 보증되고 주권은 전쟁 수행 능력으로 보증된다는 사고방식은 오늘날의 대원칙이 되었다. 그를 위해 실제 모든 국가에서 상비군은 반드시 빠질 수 없는 기관으로서 보편적인 지위를 갖고 있다. (중략) 전쟁이 제도로서 살아남느냐 아니냐는 문제와 현재의 형태로 국민국가라는 제도가 살아남느냐 아니냐라는 문제는 밀접한 관련이 있다."

바로 '제도로서의 전쟁'을 끝내기 위해서 우리는 국가주권이라는 난관을 극복해야 하는 것입니다.

이케다 말씀하신 대로 '제도로서의 전쟁'은 국가주권에 관한 문제입니다.

다만 냉전 후의 분쟁은 대부분 국가 간 발생하는 '제도로서의 전쟁'이 아니라 국내 분쟁이라는 점을 생각하면, 국민국가제도를 해체한다고 해서 모든 전투 행위가 없어지는 단순한 개념이 아니라는 것도 확인해두어야 합니다. 국가의 군사적, 정치적 폭력의 독점이 무분별하게 풀리고 권력의 공백이 생기면 오히려 폭력이 만연할지도 모릅니다.

그렇기 때문에 현실의 과제는 '국가를 없애는' 것이 아니라 인류의 멸망도 가능케 할 정도의 무기를 한 국가가 보유한다는 분명할 만큼 도를 넘은 국가주권을 어떻게 '조정'하고 어떻게 '통제'하느냐에 있습니다.

로트블랫 그 점인데, 주권의 개념은 가까운 장래 '자립성'이라는 이념과의 관계에서 변화할 것입니다. '자립성'은 라포포트의 정의에 따르면 '책임감의 관점에서 높은 레벨의 조직에 대해 제한적으로 부여된 어느 특정 정책 영역 안에서의 독립성'입니다.

특히 국가주권의 가장 중요한 요소인 '전쟁을 수행하는 권리와 능력'은 배제되지 않으면 안 됩니다. 어느 나라도 전쟁을 허용하면 안 됩니다. 바꿔 말하면 군대는 필요 없다는 뜻입니다.

결국, 국가 군대의 소멸이자 어떠한 세계 조직의 관할 아래 있는 경찰군에게만 평화 유지를 위한 일정의 강제 집행력을 인정한다는 뜻입니다.

어떠한 국가도 다른 국가에 대해 전쟁을 선언하는 것을 허용하면 안 됩니다. 이것은 사람들에게 받아들여지기 어려운 점입니다. 그 이유는 우리가 아직 국가라는 개념에 속박되어 있기 때문입니다.

한편 '국가 자립성'의 협조적인 측면을 조장하고 그 분열을 지향하는 것을 억제함으로써 국민국가가 안정된 세계공동체 속에서 개인과 안정된 평화적 국제 커뮤니티 사이에 연결고리로 존속할 수도 있을 것입니다.

이케다 군사력을 세계정부의 아래에 집약한다는 사고방식은 '러셀·아인슈타인 선언'의 중심자인 러셀 경도 아인슈타인 박사도 주장하셨습니다.

저는 일찍이 노먼 커즌스 씨와 유엔 개혁 강화의 방도에 관해 상세히 논의했는데 커즌스 씨의 발상은 '세계연방'이라는 형태가 걸맞다는 것이었습니다.

세계연방의 관할권은 명확하게 분리되고 연방 내에서 공유하는 주권과 국민국가로 인해 보유하는 주권은 명확하게 분리, 유지되는 것입니다. 앞으로는 이러한 방향성도 충분히 검토할 가치가 있을 것입니다.

'세계정부'의 실현 가능성

로트블랫 아인슈타인은 훌륭한 과학자였는데 정치에 관해서도 정통했습니다. 그리고 그는 인류를 구하려면 어떤 세계 통치의 방법을 찾아야만 한다는 결론에 도달했습니다.

그것은 우리가 모두 같은 독재자 아래에 놓인다는 이야기가 아닙니다. 국민국가는 그대로 남을 것입니다. 나름대로 자치권도 있을 것입니다. 언어나 문학을 발전시키는 문화적인 기능은 남겨야 합니다.

아인슈타인은 1947년에 발표한 '유엔총회에 보내는 공개 서한'에서 이렇게 말했습니다.

"실제 국제연합은 세계의 민중과 모든 정부가 다음의 사항을 인식하면 상당히 중요하고 유용한 기관이 된다. 다시 말해, 유엔은 최종 목표에 대한 과도적 시스템이고, 그 최종 목표는 평화 유지를 위해 유효한 법적, 행정적 권한을 부여한 초국가적 기관의 확립이라는 점이다."

또한 러셀 경은 세계정부야말로 인류의 자멸을 회피하기 위한 유일한 선택지라고 생각해 1961년에 출판한《인류에 미래는 있는가?》라는 저서에서 세계정부의 필요성이나 그 기구의 올바른 방향에 관해 상세히 고찰했습니다. 그는 이렇게 썼습니다.

"국제사회의 무질서 상태를 이전보다 한없이 위험한 것으로 만든 것은 수많은 기술 진보 때문인데, 반대로 그 진보로 바야흐로 세계정부를 확립하는 것도 가능해졌다. 이 세계정부는 전 세계 모든 지역에서 권력을 행사할 수 있고 그에 대한 무력 반항을 대부분 불가능하게 할 수 있을 것이다."

이케다 두 사람이 주장한 '세계정부'의 조직은 아직 실현되지 않았습니다. 그러나 유엔을 중심으로 국가, NGO, 기업, 개인

등 여러 단체가 합의해 다원적인 지구 통치시스템을 만들자는 '글로벌 거버넌스'의 사고방식으로 계승되고 있습니다.
저는 앞으로 국제정치의 커다란 과제는 이 '글로벌 거버넌스'를 어떻게 기능시키느냐에 달렸다고 생각합니다.
또한 세계 규모의 정부는 없지만 지역 단위로는 유럽연합(EU)이라는 형태로 국가주권 이양의 방향성을 보이는, 이른바 '인류사적 실험'이 진행 중입니다. 국가주권의 이양은 세계 전체가 아니라 우선 지역 단위로 나아갈지도 모릅니다. 우리 아시아에도 동아시아 공동체의 구상이 있습니다.
저는 그러한 흐름을 가속시키기 위해 2005년 1월에 발표한 '평화제언'에서 '유엔아시아·태평양본부' 설치 구상을 제안했습니다.

로트블랫 냉전시대에 세계정부라는 구상은 전혀 비현실적이라고, 동서 양측에서 그 점을 인식하고 있습니다. 그러나 바야흐로 거대한 이데올로기의 투쟁은 종식되고 세계정부를 향한 가장 큰 장애물은 넘었다고 생각할 수 있지 않을까요.
오늘날 세계의 항구 평화를 보장하는 어떤 세계 기구를 확립하기 위한 여러 조건을 진지하게 검토하는 기회가 무르익었

'현대 세계의 인권전'에서 내빈에게 설명하는 이케다 SGI 회장(1993년 9월, 캐나다).

다고 생각합니다.

물론 그러한 기구를 실제로 구축하자는 대담한 시험은 뼈를 깎는 오랜 노력이 없으면 성공할 수 없습니다.

국가 간의 분쟁을 조장해 이익을 확대한 세력도 있습니다. 또 결코 분쟁을 좋아하지 않고 우호적인 사람들 사이에도 그러한 시험에 대해 주로 국가주권 보호의 차원에서 강하게 저항할지도 모릅니다.

또 세계정부라고 해도 그것을 실제로 운영하는 인간이 늘 온건하고 편견이 없다고는 볼 수 없다고 걱정하는 사람도 있을 것입니다. 그리고 그것이 내포하는 거대한 관료기구의 출현을 위험시하는 사람도 있을 것입니다.

이러한 염려는 모두 지당하다고 생각합니다. 이것들의 이유에 대해 세계정부는 당분간 장래의 비전이 될지도 모르지만, 끊임없이 우리의 뇌리에 각인시켜야 할 비전입니다.

제가 말한 세계정부도 지금은 비현실적이라고 생각할지도 모르지만 언젠가 현실적인 제안이 될 것입니다. 저는 그때를 고대하고 있습니다.

'평화를 바란다면 평화를 준비하자'

이케다 상비군을 철폐하고 자유로운 모든 국가의 연합제도로 평화를 추구해야 한다는 이 주장은 말할 것도 없이 200년 전 칸트[10]의 《영원한 평화를 위해》에 근원을 두고 있습니다. 칸트의 국가연합 사상은 오늘날 유엔에 반영되어, 상비국 철폐에 대한 이상이 일본 국가 헌법 제9조나 실제 군대를 폐지한 코스타리카 등의 정책에 활용되었습니다.

칸트의 평화론은 '법을 바탕으로 한 평화'를 목표로 한 것이었습니다. 다만 그것은 법에 의해 전쟁의 시비가 결정된다는 주장이 아니라 전쟁은 근원적으로 불법이고 전쟁이 일어나지 않는 체제를 만들어야 한다는 주장이었습니다. '전쟁을 하면 안 된다'는 점이 칸트가 가장 우선시하는 논의의 출발점이었습니다.

그러나 헤이그평화회의[11], 파리부전조약[12] 등 전쟁을 위법화한다는 시도가 있으면서 세계대전이 일어난 일은 조약이나 제도가 있어도 사람들에게 '전쟁을 하지 않겠다'는 강고한 의지가 없으면 전쟁을 방지하는 일이 얼마나 어려운지를 여실히 보여주고 있습니다.

제2차 세계대전 후 유엔이 결성된 까닭은 '만약 다시 세계대전이 일어나면 인류의 생존마저 위험하다. 이러한 전쟁을 두 번 다시 일으키면 안 된다'고 느낀 사람들의 강한 반성과 위기감 때문이었습니다.

전쟁을 완전히 없앨 수 있느냐 없느냐는 멀리 돌아가는 듯해도 인류의 영지를 결집한 시스템을 만들 수 있느냐 없느냐에 달렸습니다.

그리고 마지막은 사람들 마음속에 '평화의 요새'를 어떻게 구축할 수 있는가, '평화에 대한 의지'를 어떻게 품게 할 수 있는가라는, 넓은 의미의 '교육'에 귀결한다고 저는 생각합니다.

로트블랫 저도 같은 생각입니다. 전쟁이라는 제도의 폐기는 우리 국가관의 근본적인 전환을 전제로 하고 있습니다. 또한 그것을 달성하려면 모든 개인이 인류에 대한 충성심을 느낄 수 있도록 하는 교육과정의 확립이 필요합니다. 다른 모든 교육과정과 마찬가지로 이 교육 목적의 실현에는 상당히 오랜 시간이 필요합니다. 그러나 먼저 그것을 시작하는 일이 무엇보다 중요하다고 생각합니다.

그 과정의 좋은 출발점으로서 저는 여기서 다음과 같은 모토를 다시 한번 확인하고자 합니다.

'평화를 바란다면 평화를 준비하자.'

이 발상 속에 비로소 우리의 가장 귀중한 공통 재산인 인류를 지키는 길이 있다고 믿습니다.

그리고 우리는 '평화를 준비하는 일'이 평화를 실현하는 유일한 길이라는 점을 어떻게든 정치 지도자들에게 이해시켜야 합니다. 결정적으로 중요한 점은 우리는 '평화의 문화'를 만들어야만 한다는 것입니다.

이케다 '평화의 문화'에 관해 제가 대담한 엘리스 볼딩[13] 박사가 훌륭한 정의를 내렸습니다. 평화의 문화는 '인간이 서로 창조적으로 차이에 대처하고 그것들의 자질을 나누는 데 있다'고 말입니다.

자기 이외의 다른 사람과 어떻게 마주하는가, 자기 이외의 다른 사람을 받아들이지 않으면 모노톤(단색)의 세계가 되거나, 다른 문명, 다른 문화 간의 대결이 이어질 뿐입니다.

한편 '다른 사람을 존중한다' '다른 사람에게 관용을 베푼다'고 해도 서로 자신의 문화, 문명을 절대시한 채로 하는 '존중'

과 '관용'은 세계를 분단시킵니다.

어느 쪽에도 치우치지 않는 열쇠는 볼딩 박사의 말처럼 '서로 나누는' 것, 다시 말해 '다른 사람과 대화를 나눠 상대를 바꾸고 동시에 자신도 바꾸는 것'이 아닐까요.

대화를 통해 자타 함께 변혁의 길을 모색하고 넓히는 데 우리 SGI의 글로벌적인 사명이 있다고 생각합니다.

이케다 다이사쿠 × 로트블랫

제9장

과학자의 책임과 종교의 사명

현대사회는 상호의존으로 성립

이케다 박사는 자신이 꿋꿋이 살아온 20세기를 인류에 일찍이 없던 '중대한 변화'를 가져온 세기라고 회상하셨습니다. 그리고 그 커다란 원동력으로서 '과학의 발전'을 드셨습니다.

로트블랫 그렇습니다. 20세기는 '과학의 폭발'이라고 할 수 있는 시대였습니다.

이케다 박사는 과학의 공헌을 높이 평가하면서 '부정적인 측면'에도 엄한 눈길을 보내셨습니다. 그 '부정적인 측면'을 상징하는 것이 박사가 완전히 없애기 위해 꿋꿋이 싸우신 '핵무기'라고 할 수 있습니다.

박사는 늘 과학은 '과학자의 책임'과 분리해서 생각할 수 없다고 강조하셨습니다. 그래서 이번에는 이 중요한 핵심에 관해 더욱 깊이 파고들어 질문하고 싶습니다.

로트블랫 먼저 '책임'이라는 말의 의미에 관해 전반적인 이야기를 하겠습니다. 제가 여기서 말하는 '책임'은 과학자뿐 아니라 모든 사람이 지는 '사회적 책임'입니다.

현대사회에서 우리는 한 사람 한 사람이 어떤 그룹에 소속해 있어, 완전히 고립되어 살아갈 수는 없습니다. 다른 사람들의 도움이 있기에 비로소 우리 생활은 성립됩니다.

이케다 상호의존이라는 말이군요.

인간은 여러 사람의 도움이나 활동, 나아가 선인이 남긴 유산으로 살아가고 있습니다. 이 사실을 겸허히 바라보는 일이 중요합니다.

로트블랫 우리는 자신이 속한 사회에 공헌함으로써 생활을 더 효율적으로 만들 수 있습니다.

만약 고립되어 혼자서 생활한다면 먹기 위해 사냥을 하거나 밭을 갈거나 난방을 위한 땔감을 찾는 일 등을 살아가기 위해 어떻게든 혼자서 해결하지 않으면 안 됩니다. 그러나 그것은 불가능합니다.

우리 한 사람 한 사람에게는 각자의 역할이 있고 전문 분야가 있습니다. 의복을 만드는 사람, 채소를 기르는 사람, 신학을 공부하는 사람 등 서로 배려하면서 여러 가지 형태로 자신이 속하는 그룹에 공헌하면서 모두 협력해서 생활하고 있습니다. 모든 사람은 다른 사람의 공헌에 도움을 받으면서 생활이 윤택해지고 풍요로워집니다.

이케다 말씀하신 그대로입니다. 동양에서는 이러한 사고방식을 '은혜를 안다'고 표현하기도 합니다.

'은혜를 안다'는 말은 인간이 되기 위한 하나의 조건입니다, '은혜를 잊는 일'은 인간으로서 가장 부끄러워해야 할 일입니다.

현재 자신의 생활을 당연하게 여기는 것은 오만입니다.

스페인의 사상가 오르테가[1]가 《대중의 반역》에서 현대인의 이러한 특징을 '자만에 빠진 철부지'라고 표현한 일은 유명합니다.

주변만 둘러보아도 우리가 얼마나 세계적인 규모로 다른 사람에게 의존하고 있는지 알 수 있습니다.

그 점을 마키구치 쓰네사부로 초대 회장은 이미 20세기 초에 저서《인생지리학》[2]에서 이렇게 구체적으로 지적하셨습니다. "나는 시골에 살고 있지만, 내가 입고 있는 옷은 남미나 호주의 양털과 영국의 철 그리고 석탄을 사용해 영국인이 만든 것이다. 내 신발 안창은 미국산, 그 이외의 가죽은 인도산이다. 방에 단 램프는 코카서스의 유전에서 채취한 석유다. 안경 렌즈는 독일인이 정교하게 숙련한 덕분이다. 이러한 물건들이 각각 목축, 채굴, 수집, 제조, 운반, 판매 등의 과정을 거쳐 마침내 내게 도착했다고 생각하면 이 단조로운 반평생이 공간적, 시간적으로 절대적인 영향을 받고 있다고 느낀다."

로트블랫 세계 사람들과 자신의 일상생활을 연결한 대단히 알기 쉬운 사례입니다.

이케다 예. 우리는 누구나 세계의 사람들과 상호의존을 하고 서로 돕는 관계에 있습니다. 각자 더없이 소중한 존재입니다.

로트블랫 정말 그렇다고 생각합니다. 저는 여기서 만약 우리가 다른 사람의 도움을 받고 있다면 이번에는 우리도 마찬가지로 다른 사람들을 도와야 할 의무가 있다고 말씀드리고 싶습니다.

'책임'은 과학자만의 문제가 아닙니다. 모든 시민이 자신의 행동에 '책임'을 져야 비로소 사회가 성립됩니다. 인류의 상호의존은 기술의 진보에 따라 최근 급속도로 진행되었습니다. 통신기술의 발달로 서로 연락하기도 매우 편리해졌습니다.
동시에 다른 사람들에 대한 책임도 무거워졌습니다. 이것이 모든 사람이 짊어져야 할 사회적 책임입니다.
다른 사람을 생각해서 행동하는 편이 좋습니다. 왜냐하면 결국은 그것이 자신을 이롭게 하는 일이기 때문입니다. 이것이 문명의 기본적인 교훈 중 하나입니다. 이 간단한 진실을 볼 수 없으면 우리는 석기시대와 같은 원시적인 동굴 생활로 돌아가야 할 것입니다.

이케다 간결하면서도 중요한 말씀입니다. 불전에서도 '남을 위해 불을 밝히면 내 앞이 밝아지는 것과 같다'[3]고 설합니다. 그러나 안타깝게도 현대에는 이러한 인식이 너무나 희박합니다. 그것이 여러 사회적 문제 중 하나의 요인이라고 할 수 있지 않을까요.

로트블랫 동감입니다. 그리고 저는 과학자에게는 특별한 책임이 있다고 일관해서 강조했습니다. 그것은 과학이 사회에 점점 큰 영향을 미치고 있기 때문입니다.

최근 100년이 넘는 기간 동안, 과학이 발전하고 사회가 그것을 응용한 결과, 우리 생활은 완전히 바뀌었습니다.
과학자에게는 새로운 사고, 새로운 생활양식, 새로운 물질을 낳는 인간으로서 책임져야 할 특별한 것이 있습니다.
그리고 이 책임은 대량파괴무기의 개발로 인해 더욱 시급해졌습니다. 왜냐하면 우리가 인류의 문명을 모두 파괴할 수 있는 단계에 이르고 말았기 때문입니다.

과학의 발전과 인류의 책임

이케다 확실히 아인슈타인 박사가 통찰하셨듯이, 해방된 원자의 힘은 인간의 사고방식뿐 아니라 모든 것을 크게 바꿨습니다. 그렇기에 비로소 우리 자신의 커다란 가치관의 변혁, 정신의 변혁이 요구되고 있습니다.

로트블랫 말씀하신 대로입니다. 인류는 역사상 처음으로 말 그대로 '지구의 모든 것'을 파괴할 수 있는 기술을 습득했습니다. 그리고 그것은 많은 과학자가 연구한 결과물이기도 합니다.

나치스 독일이 원폭을 제조할 가능성을 지적해 루스벨트 대통령에게 보내는 편지에 서명하는 아인슈타인(왼쪽)과 실라드.

이 사실은 끊임없이 반복해서 주장해야 합니다. 지금도 많은 과학자가 '내가 개발한 것이 어떻게 응용되건 나와 상관없다'든가 '과학자는 과학적 연구만 추진하면 된다'고 생각하기 때문입니다.

어느 과학자는 이렇게 말할지도 모릅니다. "세계의 모든 도시를 파괴할 수 있는 폭탄을 제조하는 일은 가능하다. 그러나 그것이 어떻게 사용되든 나와 관계없다. 그것은 누군가 다른 사람이 정할 일이다."

이는 도의적 태도가 아니라고 생각합니다. 그러나 현실에선 이러한 태도를 취하는 과학자가 실로 매우 많습니다.

이케다 중대한 문제입니다. 여기에 급소가 있습니다. 인류가 손에 넣은 지식을 인간의 행복을 위해 어떻게 활용할 것인가, 인간에게는 그런 지혜가 있어야 합니다. '지식'과 '지혜'는 비슷한 것 같아도 전혀 차원이 다릅니다. 지식이 늘었다고 해서 더 현명해졌다고 할 수 없는 것이 현실입니다.

제 스승인 도다 제2대 회장은 '지식과 지혜의 혼동'이 현대문명의 가장 큰 오해 중 하나라고 강조하셨습니다.

불전에는 '재능 있는 축생'[4]이라는 말이 있습니다. 인간에게 아무리 많은 지식과 재능이 있다고 해도 도덕이나 윤리를 무시하고 자신의 욕망대로 살아가면 그것은 커다란 재앙이 될 것입니다.

로트블랫 저는 도다 제2대 회장이 말씀하신 '지식'과 '지혜'의 구별에 진심으로 찬성합니다.

지식도 지혜도 모두 대단히 중요하지만 확실히 동의어는 아닙니다.

저는 동물의 행동에 관해서는 충분한 지식이 없어서 동물의 사회적 행동에 관해 논할 생각은 없습니다. 하지만 인간 사회에서 그 차이에 관해 생각할 수 있습니다. 지식이 있다고 해서 인간이 그것을 어떻게 사용하면 좋을지 알고 있다고는 할 수 없습니다.

예를 들어 새로운 도구를 발명했다고 칩시다. 이 능력은 '지식'이라고 일컫습니다. 그러나 이 도구를 어떻게 사용하느냐는 지혜의 문제입니다. 지식을 어떻게 사용하는가, 거기에 지혜가 필요한 것입니다.

지식 자체는 매우 중요합니다. 지식이 없으면 진보도 없습니다. 그러나 지식만으로는 충분하지 않습니다. 그 지식을 어떻게 응용하느냐를 알아야 합니다.
세계의 과학자는 지식이 사람들의 생활에 커다란 영향을 미치는 것은 물론 오늘날 사회 형성에 중요한 역할을 완수해왔기에 과학적 지식을 사회에 어떻게 응용해야 하는지에 관해 적확한 발언을 할 수 있는 위치에 있습니다.

이케다 정말 은사가 말하고자 한 점을 그대로 박사가 명석하게 말씀해주셔서 정말 감사합니다.
인류는 오랜 역사에 걸쳐 방대한 지식을 쌓아 왔습니다. 그러나 과연 얼마나 지혜를 깊이 다져 더 현명해졌다고 할 수 있을까요.
지혜는 자기 인생의 경험과 고생 속에서, 또 지성과 인격의 도야를 통해 몸에 익힐 수 있습니다. 그것이야말로 인간이 인간으로서 인간답게 평화를 위해, 행복을 위해 가치 창조를 하기 위한 원천입니다.
박사는 인류가 그러한 지혜를 개발하고 심화하려면 무엇이 가장 중요하다고 생각하십니까? 또한 새로운 시대의 도전에 응전하려면 어떠한 지혜가 요구된다고 생각하십니까?

로트블랫 지금까지 우리는 지식을 잘못 사용한 사례를 몇 가지나 보았습니다. 특히 20세기 인류는 무척 공포스러운 것을 새롭게 발명했습니다.

독일을 예로 들겠습니다. 독일은 이미 20세기 초에 고도로 발달한 문명국이었습니다. 사람들은 높은 교육을 받고 기술적인 지식도 풍부했습니다. 그러나 그러한 지식에도 불구하고 나치즘의 발전과 나치즘에 의한 자국의 지배를 허용하고 말았습니다.

히틀러의 비과학적인 사상에도 불구하고 그에게 투표해 정치적인 권력을 쥐여준 결과, 인종적 배경만을 이유로 유대인을 차별해 대량학살하는 계획을 실행하고 말았습니다. 그것도 고도로 과학적이고 조직적인 방법으로 실행했습니다.

몇백만 명이나 되는 사람들을 가스실에서 살해한 사실은 지금까지 인류 역사상 한 번도 없던 일입니다.

이케다 20세기가 남긴 너무나도 중대한 교훈입니다.

로트블랫 이러한 사실을 볼 때 지금 우리는 오래전보다 더 문명화되었다고 할 수 있을까요. 오히려 동물에 더 가까워졌다고 할 수 있지 않을까요.

아니 그러한 표현은 동물을 모욕하는 것일지도 모릅니다.

'완전히 도덕적 의식이 결여된 상태'라고 표현하는 쪽이 더 맞겠지요. 그것을 우리는 20세기에 자기 눈으로 직접 목격했습니다.

우리는 "히로시마와 나가사키의 비참함을 잊으면 안 된다"고 몇 번이나 말했습니다. 저는 그것과 더불어 '체첸 사건이나 폴란드 각지에서 일어난, 많은 가스실에서 몇백만 명이라는 생명을 앗아간 일을 잊으면 안 된다'고 외치고 싶습니다. 어느 특정 인종에 속한다는 이유만으로 그곳에 강제적으로 연행되어 감금되고 살해당한 몇백만 명이나 되는 사람들을 말입니다.

그림자가 드리워진 사회에 교육의 빛을

이케다 말씀하신 그대로입니다.

절대로 두 번 다시 반복하면 안 되는 역사적 사실입니다.

로트블랫 바로 그것이 제 생각입니다.

굳이 전쟁 중의 이야기를 하자면, 어느 과학자는 인간이 호흡하지 않고 물속에서 얼마나 오래 버틸 수 있는지 '과학적'으로 실험했습니다. 그는 인간을 기니피그(모르모트)로 취급했습니다. 그런 일을 두 번 다시 용납하면 안 됩니다.

그러므로 결국 '교육'이 중요합니다. 어떻게 해도 정답은 '교육'의 중요성에 귀착합니다.

그러한 실험을 할 수 있는 인간은 진정한 의미에서 '교육'을 받았다고 할 수 없습니다. 인간은 다른 사람의 말에 쉽게 좌우됩니다. 그리고 나치즘과 같은 어리석은 이데올로기를 쉽게 받아들이고 맙니다. 이러한 비극이 다시 일어나지 않게 하려면 더욱 질 높은 교육을 시행해야 합니다.

이케다 그것밖에 없습니다.

네덜란드의 인문주의자 에라스뮈스[5]는 그 점을 이렇게 지적했습니다.

"교육에는 절대적인 힘이 있다. 플라톤이 말한 대로 더 나은 교육을 받으면 사람은 신과 같은 존재도 될 수 있다. 반대로 나쁜 교육을 받으면 사람은 최악의 야수로 전락한다."

지식이 고도로 발달한 현대에는 그것을 제어하는 고도의 '지혜'와 '윤리' 그리고 자신을 다스리는 늠름한 '인격'의 힘이 반드시 필요합니다.

따라서 저도 인간주의를 바탕으로 한 교육이 중요하다고 주장했습니다. 또 그런 인간 교육을 실현하기 위해 전력을 다했습니다. '인격'의 도야가 결여된 교육만큼 무서운 것이 없기 때문입니다.

로트블랫 세계는 점점 빈부의 격차가 확대되고 있는데, 다행히 젊은 사람은 조금이라도 더 질 높은 교육을 누리고 있습니다. 아주 조금씩 인간 교육의 레벨이 높아지고 있다고 생각합니다. 그래서 제가 '아직 희망은 있다'고 말한 것입니다.

이케다 잘 알고 있습니다. 교육이 '인간'을 만든다는 사실은 분명합니다.

또 동시에 현대사회의 다양한 현상에 '인간 부재'의 병리가 무척 눈에 띄는 것을 볼 때마다 저는 종교의 역할을 생각하게 됩니다.

'인간성'을 사람들의 마음에 되살려 빛내주는 것이 종교의 중요한 역할이라고 저는 생각합니다.

그러나 어느새 그 근본정신에서 벗어나 권력에 이용당하는 등 종교가 사람들을 분단하고 대립시킨 역사가 있는 것도 사실입니다.

또한 많은 비극의 본질에는 '인간을 위한 종교'가 '종교를 위한 인간'이 되어버린 왜곡이 있습니다.

로트블랫 이것은 제가 답하기 가장 어려운 분야입니다.

종교는 사람이 날마다 살아가는 데 도움이 되지만 동시에 자신들의 의견을 다른 사람에게 강요하는 데 자주 악용되기도 합니다.

중세 이후 종교는 사회적 위치가 높은 인간이 기존의 종교 교의를 비판하고 다른 것을 주장하는 사람들에게 오명을 입힐 때 이용되었습니다.

오늘날에서 예를 들자면 이슬람 원리주의 과격파의 교의 등이 이 같은 움직임을 보입니다.

그리고 또 종교전쟁도 있었습니다. 대부분 세계적인 전쟁으로 오랜 세월에 걸쳐 계속되었습니다. 아일랜드의 가톨릭과 프로테스탄트 사이의 분쟁도 그렇습니다.

안타깝지만, 전체적으로 말해서 저는 사람들이 어느 정도의 교육을 받은 상태인데도 종교가 좋은 점보다 해를 끼친 편이 더 많다고 생각합니다.

다만 모든 종교 중에 불교가 가장 사람에게 해를 입히지 않은 종교라고 생각합니다.

이케다 유럽에서 일어난 종교의 역사만 보아도 박사의 생각을 잘 이해할 수 있습니다.

특히 성직자가 타락하면 종교가 사회에 커다란 폐해를 초래하는 사례를 우리도 일본에서 자주 보았습니다.

교육으로 연마된 지성의 빛이 없으면 '종교'나 '신앙'은 합리성과 양식을 잃은 '맹신'이 될 위험성이 있습니다.

그렇기에 '교육'과 '종교'는 인간이 더 깊은 정신성을 키우고 인격을 도야해 인간성을 높이기 위해 불가결한 '양 바퀴'와 같은 관계에 있다고 저는 생각합니다.

로트블랫 저는 과학자입니다. 따라서 과학자로서 모든 것에서 합리적인 설명을 찾으려는 데 익숙합니다.

제 인생을 통해 생명의 기원 등과 같은 개념이 자연과학이나 물리학의 법칙을 사용해 순수하게 합리적인 전망을 바탕으로 고찰해 진보하는 것을 보았습니다.

저는 지금까지 자신의 감각으로 자각할 수 없는 물리학의 법칙에 맞지 않는 초자연적인 것의 존재를 증명하는 것을 본 적이 없습니다.

그렇다고 저는 '모두 내가 옳다'며 제 생각을 고집하지 않습니다. 저는 자신이 이해할 수 없는 현상을 '신'의 힘으로 설명할 수 있다는 것을 부정합니다.

다만 과학자로서 충분한 증거가 없기 때문에 신이 존재한다는 가능성을 배제할 수밖에 없을 뿐입니다.

그러나 아직 모르는 것이 더 많다는 점은 인정합니다. 저는 특히 종교적인 인간이 아닌데, 그것이 자신을 불가지론자(不可知論者)라고 하는 이유입니다.

불가지론자는 '답을 모르기 때문에 답을 영구히 계속 탐구'합니다. 이것이 종교에 대한 제 대답입니다.

이케다 진지한 자세입니다.

저는 진정한 신앙은 이성과 모순되는 것이 아니라고 생각합니다. 진정한 이성은 올바른 신앙을 추구하고, 진정한 신앙은 높은 이성을 빛나게 합니다.

아인슈타인 박사는 '종교 없는 과학은 불구이고 과학 없는 종교는 맹인'이라고 갈파하셨습니다. 본디 과학도, 종교도 우리의 존재를 깊게 하고 우주의 만물을 관철하는 보편적인 '법'을 탐구하는 행위입니다.

따라서 과학과 종교의 협력은 지금까지 세계시민의 윤리를 구축하는 데도 크게 공헌했다고 생각합니다.
물론 과학자의 윤리라는 문제도 더욱 커지고 있습니다.

로트블랫 저는 종교의 역할을 인정하지만 세계시민이 만드는 윤리 규범의 '진화'라는 관점에서 그것을 보고 있습니다. 그것은 '자연 진화'입니다.
요컨대, 모든 것은 계속 변화합니다. 인류도 수십억 년 동안 계속 변화했습니다.
변화의 확률이 상당히 낮은 것도 언젠가는 그 변화가 나타납니다. 그리고 일반적으로 말해서 진화는 개선의 방향으로 나아갑니다. 예를 들어 생명이 그렇습니다. 인간도, 동물도, 어떠한 유기물도 어떠한 방향으로 진화할 수 있습니다.
진화에는 두 가지 길이 있습니다. 더 뛰어나고 강한 종(種)으로 되거나 반대로 약해지는 것입니다.
만약 약해진다면 그 종류는 쇠미하다 이윽고 멸종합니다. 따라서 진화의 과정에서 살아남는 것은 더 강한 것뿐입니다. 그래서 진화의 과정은 유익합니다.

이케다 진화함으로써 모든 것이 도태되는 것이군요.

인류 발전의 기초에 생명존엄의 사상을

로트블랫 예. 그렇기 때문에 저는 진화의 과정 자체가 윤리의 기본이라고 주장합니다. 종이 강해질수록 최종적으로 더 훌륭한 것을 낳기 때문입니다.

장기적인 관점에서 보면 우리는 진화의 발전 과정에서 '더 높은 윤리 기준'을 향해 나아갈 수 있습니다.

만약 살아남고 싶다면 '선'을 향해 노력해야 합니다. 그렇게 하지 않으면 반드시 멸종하고 맙니다. 이것이 제 철학이자 윤리 규범의 근저에 있는 사고라고 할 수 있습니다.

이케다 인류의 멸종마저 상상하는 '그림'이 되어버린 지금의 사회에 조화와 공생을 가져오는 지구 윤리의 필요성이 강하게 요구되는 이유가 여기에 있습니다.

박사의 철학에는 인간의 '선성'과 '지성'에 대한 깊은 신뢰가 느껴집니다.

로트블랫 저는 과학과 기술을 믿습니다. 앞에서도 이야기한 대로 어린 시절부터 저는 과학의 가능성에 깊은 감명을 받았습니다.

과학은 대부분 무한하고 보편적인 가능성을 갖추고 있습니다. 그렇기 때문에 과학은 인류가 떠안은 어려움을 해결할 수 있었습니다.
우리 인간은 태어날 때부터 전쟁을 하게 만들어지지 않았습니다. 생물학적으로 군인과 같은 사고를 갖도록 짜여져 있을 리도 없습니다. 군인의 사고가 유전자에 담겨 있다고 주장하는 사람도 있지만, 저는 전혀 그렇게 생각하지 않습니다.
과학은 언젠가 모든 사람을 양육하는 방법을 발견할 것이라 생각합니다. 또 아무리 지구의 인구가 늘어도 이 지상의 모든 사람이 평화롭게 공존하는 데 필요한 먹을 것과 자원을 과학은 충분히 제공해야 한다고 생각합니다. 이것이 과학과 인간에 관한 제 기본적인 철학입니다.

이케다 박사가 '과학자로서의 양심'을 얼마나 소중히 해왔는지 또 과학의 미래를 어떻게 기대하고 있는지 저도 잘 알고 있습니다.
인간의 생명에는 자기 중심적으로 파괴적인 측면이 있는 한편 다른 사람을 진심으로 감싸는 '선성'이 있습니다. 불법은 인간 생명을 깊게 통찰하고 그 '선성'을 개발해 빛나게 하는 철학과 실천을 제시하고 있습니다.

우리 SGI는 불법을 기조로 한 '인간 자신의 변혁'에서 '사회의 변혁'을 지향하는 '인간혁명' 운동을 전개하고 있습니다.

어쨌든 '생명존엄'보다 더 큰 가치는 없습니다. 따라서 인류의 발전이라고 해도 그 모든 것의 출발점에는 '생명존엄' 사상이 있어야 합니다.

로트블랫 저도 같은 의견입니다.

저는 앞으로 몇십 년 안에 국제사회에 국경을 뛰어넘는 커다란 변화가 일어날 것이라고 생각합니다. 과학기술 중에서도 특히 바이오 테크놀로지와 정보통신기술의 응용이 사회를 크게 바꿀 것이라 생각합니다.

그 변화에는 두 가지 방향성이 있습니다. 하나는 정보기술로 세계가 더욱 분극화될 것입니다. 새로운 기술을 이용해 더욱 더 이익을 보는 상층계급과 그것에서 멀어진 계층으로 분리될 것입니다.

또 다른 하나는 반대로 전 세계 사람들이 하나의 가족 구성원이라고 자각하고 국가와 민족, 이데올로기의 차이를 극복해 인류에 귀속 의식을 갖고 나아가는 방향입니다.

후자의 흐름을 강화하려면 평화를 사랑하는 진보적인 집단이 의식을 갖고 현명하게 사회에 참여해야 합니다. 그리고 사회 속에서 과학기술의 응용에 관해 폭넓게 진지하게 논의해야 할 필요가 있습니다.
그 토의 과정이 곧 교육이고 그 결과로서 사회의 집합의식을 높일 것입니다.

이케다 폭넓은 논의의 필요성에 관해서는 저도 완전히 동감합니다. 그 방향을 강화해야 합니다.
현대사회의 분단과 대립은 심각합니다. 지금이야말로 모든 국면에서 '대화'를 통한 '이해'와 '조화'가 필요합니다.
의견의 차이는 있어도 '세계평화' 그리고 '인류의 공생'이라는 측면에서 협조는 반드시 가능할 것입니다.

이케다 다이사쿠 × 로트블랫

제10장

후계의 청년들에게 보내는 메시지

인류의 실현을 위한 후계 육성을

이케다 저는 로트블랫 박사에게 다시 한번 감사의 인사를 드리고 싶은 일이 있습니다.

박사는 2001년 10월, 개교한 지 얼마 되지 않은 미국소카대학교(SUA) 오렌지군캠퍼스를 머나먼 영국 런던에서 방문해주셨습니다.

당시는 미국에서 '9·11' 동시다발 테러가 일어난 직후로 미국 방문을 잇따라 취소하는 움직임이 퍼지는 와중이었습니다.

그럼에도 불구하고 박사는 조금도 망설이지 않고 달려와 우리 SUA에 영원히 빛날 역사를 새겨주셨습니다.

미국소카대학교(SUA) 오렌지군캠퍼스에서 강연하는 로트블랫 박사(2001년 10월).

로트블랫 그때 일은 선명히 기억합니다. 미국 방문을 취소하다니 당치도 않습니다. 그런 상황일수록 SUA를 꼭 방문하고 싶었습니다.

로스앤젤레스 공항에 도착했을 때, 목이 쉬어 목소리가 나오지 않자 대학 측에서 "내일 강연은 취소하면 어떨까요?" 하고 물어왔습니다.

저는 "괜찮습니다. 내일이면 조금은 나아질 테니까요" 하고 답하고는 예정대로 강연하기로 했습니다. 평소 한번 정한 일정은 쉽게 취소하지 않기 때문입니다.

저는 불교신자는 아니지만 이케다 회장과 '세계평화'라는 같은 목적을 향한 같은 신조를 공유하고 있습니다. 그리고 깊은 우정을 맺고 있습니다. 대화해보면 우리의 파장이 딱 맞는다는 것을 느낍니다.

그렇기 때문에 제가 진심으로 공감하는 이케다 회장이 창립하신 SUA를 방문해 매우 중요한 사명이 있는 SUA 학생들과 만나 조금이라도 이야기할 수 있어 정말 기뻤습니다.

이케다 감사합니다. 몸 상태가 좋지 않음에도 불구하고 목소리를 쥐어짜내어 강연하시는 박사의 모습에 SUA 학생들은 매우 감동했습니다.

박사의 강연을 들은 한 학생은 이렇게 말했습니다.

"전쟁이 없을 뿐인 소극적인 평화로는 안 됩니다. 모든 사람이 행복을 느끼는 진정한 평화의 시대를 구축하고 싶습니다. 그래서 우리가 인류에 공헌하는 정신을 길러 온갖 분야에서 빛을 내는 사람이 되자고 모두 깊이 결의했습니다" 하고 말입니다.

그때 그 1기생들도 올해(2005년) 5월에 상쾌한 졸업식을 맞아 새로운 세계로 용감하게 뛰어나갔습니다.

로트블랫 1기생의 졸업을 진심으로 칭찬하고 싶습니다. 가슴이 벅찹니다. 참으로 기쁜 일입니다.

저는 강연 때, SUA 학생들의 반응에 강한 인상을 받았습니다. 강연이 끝나고 많은 학생이 저를 만나러 왔습니다. 젊은 사람들과 이야기를 나누는 가운데 큰 힘을 받아 저까지 젊어지는 기분이었습니다.

학생들의 졸업을 저도 기대했습니다. 학생들에게는 "그때 제가 '사회에 공헌하는 훌륭한 청춘을 보내기 바란다'고 한 말을 잊지 말기 바란다"고 전해주십시오.

우리의 뒤를 이을 사람은 바로 그들입니다. 미래를 위해 진지하게 책임을 다했으면 합니다.

자기 행동에 책임을 지고 언제든 자신은 인류를 위해 온 힘을 다해 일하고 있다고 가슴 깊은 곳에서 말할 수 있도록 말입니다.

그것이 제 메시지입니다.

이케다 감사합니다. 모두 기뻐할 것입니다.

미래는 청년에게 맡기는 수밖에 없습니다. 저도 박사와 똑같은 심정으로 청년을 육성하고자 격려하고 있습니다. '인재'가 중요합니다.

SUA는 건학 이념으로 '세계시민의 육성'을 내걸었습니다.

박사는 SUA 강연에서 전 세계 사람들이 '인류에 대한 충성심'을 키워야 하는 중요성을 말씀하셨지요.

로트블랫 예. 제가 말하는 '세계시민'은 국제여권이나 그 외에 보여지는 '세계국가'나 '중앙집권정부' 시민으로서의 지위가 아닙니다.

언젠가 그러한 시대가 올지도 모르지만 먼저 세계 속에서 일종의 글로벌 거버넌스[1](지구 규모 협동관리)가 발전하고 사람들은 세계시민으로서 국가와 상호의존 관계를 뛰어넘은 감정을 갖게 될 것입니다.

그다음 단계로 가기 위한 준비로 우리가 힘써야 할 과제가 있습니다. 그 과제에는 우리가 세계공동체라고 여기는 '귀속의식'을 높이기 위한 교육도 포함되어 있습니다.

'인류 전체에 대한 충성심'에는 어느 의미에서 공리주의적인 목적도 있습니다. 다시 말해 인류의 생존을 확보한다는 우리의 궁극적인 목표와 결부되어 있습니다.

그러한 관점에서 보면 '인류에 대한 충성심'이 다른 여러 충성심의 자연스러운 연장선이라는 점을 잘 이해할 수 있다고 생각합니다.

이케다 전적으로 동감합니다. 저도 지금까지 기회가 있을 때마다 '국익' 중심에서 '인류익' 중심의 사고로 발상을 전환하는 중요성을 주장했습니다.

그 열쇠가 바로 다양한 가치관이나 문화를 수용하고 이해하기 위한 국제적인 '교육'입니다. '열린 마음'과 '열린 지성'에 따른 교류를 통해 다른 사람에 대한 이해와 공감을 길러 국제적인 시야를 몸에 익히는 교육이 중요합니다.

21세기는 지구시민으로서 이러한 자질을 기르는 세계에 열린 '교육의 장'이 더욱더 중요해질 것입니다. 제가 SUA를 창립한 이유도 그러한 신념이 있었기 때문입니다.

로트블랫 교육은 매우 중요합니다. 우리는 '충성심'에 관해 '자신'을 중심으로 한 여러 개의 '동심원'을 떠올릴 수 있습니다. 가장 작은 '동심원'은 가족에 대한 충성심을 나타내고 다음은 자기 주변으로 이어져 현재 가장 바깥쪽 동심원은 국가에 대한 충성심을 나타내는 것으로 끝이 납니다.
제가 강하게 주장하는 바는 더 바깥쪽에 인류 전체에 대한 충성심과 일체감을 나타내는 더 큰 동심원을 추가하자는 말입니다.

이케다 불법에도 통하는 깊은 사상입니다.
불법에서는 이기주의에 사로잡힌 작은 자신을 '소아(小我)'라고 합니다. 그리고 그 '소아'를 초월해 일체중생의 괴로움을 자신의 괴로움으로 여기는 '열린 인격'을 '대아(大我)'라고 합니다. 그것은 시간적이나 공간적으로도 무한대의 우주 생명에 융합하는 커다란 경애이기도 합니다.
이 '소아'에서 '대아'로 경애를 확대해 마침내 사회 변혁을 이루는 운동을 우리는 '인간혁명'이라고 부릅니다.

바야흐로 인류는 우주까지 진출했습니다. 우주적인 관점에서 보면 지구의 일체화는 시대의 흐름입니다. '자기'라는 작은 '동심원'에 사로잡히면 안 됩니다.

로트블랫 그렇습니다.

현대사회에서는 통신과 교통의 발달 등으로 지구의 일체화가 급속도로 진행되고 있습니다. 과학기술의 진보는 사람들을 더한층 긴밀하게 연결시켰습니다.

옛날에는 다른 지역에 사는 사람들과는 서로 연락하기 힘들었습니다. 제가 태어나기 직전까지 전화도 전보도 없어 만약 꼭 무언가 메시지를 전해야 할 경우, 배로 오랫동안 이동해 옮겨야만 했습니다.

섬에 사는 사람들은 서로 단절되어 있었습니다. 어떤 통신수단도 없었습니다. 그래서 많은 독립국가가 자기들만의 세계에서 살았습니다. 굉장히 고립된 상태였습니다.

그런데 그것이 완전히 바뀌었습니다. 통신과 정보 교환의 눈부신 진보를 보십시오. 전 세계 어느 곳에서 일어난 일도 지금은 누구나 알 수 있게 되었습니다. 그것도 거의 동시에 말입니다. 예를 들어 일본에서 큰 지진이 발생하면 곧바로 알 수 있습니다.

이케다 박사는 2004년에 발생한 니가타현 주에쓰 지진[2] 등에도 따뜻한 격려와 위로의 말씀을 보내주셨습니다. 다시 한 번 감사의 인사를 드립니다.

말씀하신 대로 통신기술의 발달은 세계를 더 가깝게 느끼고 연결시키는 하나의 요인이 되었습니다. 문제는 이러한 기술의 발달을 인간의 행복이나 사회의 발전이라는 플러스의 방향으로 어떻게 결부시키느냐입니다.

로트블랫 불행하게도 이와 같은 과학기술의 진보가 이제까지보다 훨씬 더 용이하게 서로 죽이는 수단을 만들어냈습니다. 인류는 상대를 완전히 파괴하는 수단을 손에 넣고 말았습니다. 그것이 바로 진보의 또 다른 측면입니다.

그리고 문제는 이러한 경쟁에서 어느 측면이 승리하느냐입니다. '선(善)'을 위해 힘을 합칠 것인가, 아니면 서로 파괴할 것인가라는 갈림길에 있습니다. 우리는 '어떻게 함께 살아갈 것인지'를 배워야 합니다. 그렇지 않으면 서로 죽이는 종말을 맞이할 수밖에 없기 때문입니다.

이케다 제가 희망을 발견한 것은 최근 멀리 떨어진 지역에서 굶주림이나 분쟁 등으로 괴로워하는 사람들에게 전 세계 사람들이 강한 '관심'을 공유하기 시작했다는 점입니다. '동고(同苦)'라고 할 수 있는 감정이 생겨나고 있습니다. 이러한 경향이 더욱 강해지면 시대는 점점 바뀔 것입니다. 아니, 반드시 바뀌어야 합니다.

로트블랫 예. 우리는 이전과 비교해 서로 더 가까운 존재가 되었습니다. 우리가 세계를 '글로벌 빌리지(지구촌)'라고 부를 때 그것은 물론 상징적인 의미밖에 없습니다. 그러나 한편으로는 현실적인 인간의 관계성을 나타내기도 합니다. 왜냐하면 '촌〈마을〉'이라고 하면 중요한 포인트는 사람들이 서로 잘 알고 있기 때문입니다.

그리고 지금 그러한 과학기술의 진보 덕분에 우리는 하나의 '마을 사람'처럼 지구를 공동체로 여기는 '세계시민'이 될 수 있습니다.

재해가 발생했을 때 무엇이 일어나고 있는지 확실하고 정확하게 알기 때문에 서로 돕고 지원을 보낼 수 있습니다. 이것은 과학기술의 진보가 불러일으킨 좋은 결과 중 하나입니다.

낙관주의에 맥동하는 불굴의 신념

이케다 마키구치 초대 회장은 20세기 초에 이미 인류는 군사와 정치 그리고 경제의 경쟁에서 '인도적 경쟁'을 지향해야 한다고 통찰하셨습니다. 인도적 경쟁에 대한 패러다임의 전환이 이윽고 시대의 추세가 될 것이라고 예견하셨습니다.
박사는 인류의 미래에 관해 낙관적인 전망과 비관적인 전망 중 어느 쪽입니까?

로트블랫 인류의 미래에 관해서는 반드시 낙관적이야 한다고 저는 생각합니다. 그 반대는 무엇일까요? 서로 비관주의에 빠지면 서로 파괴하는 일밖에 없습니다. 그렇기 때문에 낙관주의 길밖에 없습니다.
그러나 이 낙관주의에도 노력이 필요합니다. 자연히 낙관적일 수는 없습니다.
'제 자신이 낙관주의'라고 말할 때 단순히 '세계는 좋아진다'고 믿기 때문이 아닙니다. 우리가 더 좋은 세계를 만들려고 무언가를 하지 않는 한 세계는 나아지지 않습니다.
각자 자신이 노력하여 공헌할 수 있는 일이면 무엇이든 노력해야 합니다.

이케다 박사가 말씀하신 그대로입니다. 낙관주의에는 확고한 철학과 신념이 필요합니다. 냉혹한 현실을 응시하고 그것을 단호히 타파하려는 불굴의 의지 그리고 사람에게 내재하는 무한한 가능성에 대한 신뢰가 진정한 낙관주의이지 않을까요. 그리고 그것을 뒷받침하는 행동이 뒤따라야 합니다.

제가 신봉하는 니치렌 불법의 가르침에도 불굴의 낙관주의가 맥동하고 있습니다.

니치렌(日蓮)[3] 대성인은 13세기 일본에서 권력자에게 부당한 탄압과 박해를 수없이 받았습니다.

그러나 니치렌은 "좋아지는 것은 불가사의요, 나쁘게 되는 것은 필정(必定)이라고 생각하라"[4] "난(難)이 옴을 가지고 안락(安樂)이라고 알아야 하느니라"[5] "겨울은 반드시 봄이 되느니라"[6] 하고 제자들을 유연하게 계속 격려하셨습니다. 그리고 그러한 고난 속에서 민중의 행복을 위해 엄연하게 불법을 설하고 행동하셨습니다.

낙관주의에 모든 것을 이겨내고 변혁하는 힘의 원천이 있습니다. 비관주의에서는 창조적인 힘이 생겨나지 않습니다.

로트블랫 그렇지요. 낙관주의는 제 삶의 윤리입니다. 신앙심은 아니지만, 이케다 회장의 종교적인 견해와 같을지도 모릅니다. 저와 회장은 다른 관점에서 출발해 같은 결론에 도달했습니다.

이케다 불전에는 "희망은 신체를 장양(長養)하고 수명을 연장하는 힘이 있다"[7]고 씌어 있습니다. 박사는 오랜 세월에 걸쳐 평화를 위해 헌신하고 희망으로 가득한 '낙관주의의 인생'을 체현하셨습니다.

그러한 인생의 달인이신 박사가 청년에게 몇 가지 조언을 해주셨으면 합니다.

먼저 독서에 관해서입니다만 박사는 젊은 사람들이 문학을 가까이하는 일, 인류의 정신적인 유산을 접하는 중요성을 어떻게 생각하십니까?

로트블랫 저는 새로운 세기의 특징 중 하나는 과학과 문화 그리고 윤리, 사회 등 많은 분야에서 지식을 얻는 방법이 인터넷이나 텔레비전, 라디오 등 광범위해졌다는 점이라고 생각합니다. 그러나 가장 기본적인 방법은 문자를 매체로 사람들의 생각이나 사상을 표현한 책일 것입니다.

저는 젊은 사람들에게 '사회에 공헌하고 싶다면 위대한 인물의 생각이나 의견을 배워야 한다'고 조언하고 싶습니다.

이케다 박사는 소년 시절부터 타고르와 잭 런던[8] 그리고 쥘 베른, 로맹 롤랑[9] 등을 애독하셨다고 들었습니다.

로트블랫 그렇습니다. 각각 다른 장르의 문학인데 모두 어릴 때부터 좋아해서 읽은 작가들입니다.

아시다시피 타고르는 인도의 시인입니다. 잭 런던은 모험소설이고 쥘 베른은 공상과학소설입니다.

이러한 독서 하나하나가 제 '지식 창고'에 더해져 사명감을 명확하게 만들었습니다. 또 가치관이나 인생관을 형성하는 데 도움을 주었습니다.

그러나 독서에도 주의가 필요합니다. 일부 책은 광신적인 작가가 썼거나 팔기 위해 쓴 경우도 있기 때문입니다.

안타깝게도 무의미하고 쓰레기 같은 내용의 책이 인쇄되고 있습니다. 그렇기 때문에 우리는 '무엇을 읽고 싶은지'를 확실하게 식별해야 합니다.

이케다 맞습니다. 저도 청년들에게는 양서를 읽는 중요성을 기회가 될 때마다 말했습니다.

저도 젊은 날 은사 도다 조세이 제2대 회장에게서 날마다 '양서를 읽으라'는 엄한 훈도를 받았습니다. 청년들이 저속한 잡지 등을 읽고 있으면 열화와 같이 혼내셨습니다.

'인간은 문화를 위해 살아야 한다!

성장을 위해 읽어야 한다!

선(善)을 위해 공부해야 한다!

팔기 위해 흥미 위주로 만들어낸 이야기로 마음을 해치면 인생을 타락시켜 음습하게 만든다'고 호되게 꾸짖으셨습니다.

지금도 선명하게 기억합니다. 특히 청년 시절에는 시야를 넓히기 위해 폭넓은 분야의 책을 읽어야 하지 않을까요.

박사는 과학 분야에서 어떤 책을 추천하십니까?

로트블랫 우리는 과학 시대에 살고 있기 때문에 누구나 어느 정도 과학을 이해해야 한다고 생각합니다.

그렇기 때문에 예를 들어 우주에 관한 책을 읽거나 과학에 관련된 책을 읽는 것도 중요합니다.

영국의 이론물리학자인 스티븐 호킹[10] 박사는 위대한 과학자인데 그는 말하기를 포함해 거의 모든 의사 전달의 가능성을 잃었습니다. 그러나 그럼에도 불구하고 그는 장해를 이겨내고 중요한 저서를 몇 권이나 썼습니다. 그중에 하나가 《시간의 역사》라는 책입니다.

이 책에는 많은 정보가 담겨 있어 쉽게 읽을 수 없지만 마지막까지 읽을 수 있다면 그 논지를 이해할 수 있을 것입니다. 최근에는 훨씬 읽기 쉬운 박사의 책이 나오고 있습니다.

이케다 호킹 박사가 일반 독자를 대상으로 쓴 《호두껍질 속의 우주》 등도 일본에서 베스트셀러가 되었습니다.

난치성 근위축성 측색경화증[11]에 걸려도 계속 연구해 휴대용 컴퓨터와 음성합성장치를 사용해 강연과 집필활동을 하는 박사의 모습에서 인간의 무한한 가능성을 느낍니다.

로트블랫 맞습니다. 그리고 제가 높이 평가하는 또 다른 인물이 있습니다. 바로 마틴 리스[12]입니다. 이전 세기의 과학과 기술의 주요 업적을 정리하여 그것이 인류에 어떤 의미가 있는지를 탐구한 작가입니다.

그는 영국 왕립천문학자의 칭호를 받은 과학의 세계에서도 굉장히 중요한 인물입니다. 그가 쓴 책을 꼭 추천하고 싶습니다.

또 과학의 역사를 배우는 일도 중요합니다. 예를 들어 어떤 경위로 과학자가 핵폭탄을 발명했는지에 관해 리처드 로즈[13]가 책 두 권을 출판했습니다.

한 권은 원자폭탄 제조를 논하고 다른 한 권은 수소폭탄에 대한 발전을 정리한 책입니다.

그 외에도 과학에 관한 일반인을 대상으로 한 책도 많이 나와 있습니다. 그러한 책을 읽으면 전 세계에서 어떤 일이 일어나는지 잘 알게 되고 스스로 판단할 수 있게 됩니다.

민주주의 국가의 경우에는 사람들이 자신의 지도자를 자기 손으로 뽑을 수 있습니다. 다시 말해 국회의원을 뽑을 수 있고 대통령도 뽑을 수 있습니다.

의도적인 선전에 현혹되지 않고 올바르게 판단하려면 어떻게 해야 하는가, 그러려면 '사실을 아는 일'이 가장 중요합니다.

만약 제대로 연구하고 조사한 올바른 책을 읽으면 사실은 명백해집니다.

그러면 언론에서 떠들어대는 이야기에 휘둘리지 않고 스스로 판단할 수 있습니다.

생애 청춘이라는 마음가짐과 청년에게 의탁하는 심정

이케다 정말 맞는 말씀입니다. 여러 정보가 넘쳐나는 현대에는 옳고 그름을 엄연히 간파하는 '정시안(正視眼)'을 몸에 익히는 일이 더욱 중요합니다. 그러려면 지성을 연마하는 노력이 필요합니다. 올바른 역사관을 확립해야 합니다. 저도 그 점을 청년들에게 거듭 말했습니다.

그런데 시집은 어떻게 생각하십니까? 인도의 시성 타고르의 시는 청년 시절에 애독하셨지요?

로트블랫 먼 옛날 이야기지요.(웃음) 저는 이케다 회장이 쓰신 시가 아주 훌륭하다고 생각합니다.

이케다 감사합니다.

박사는 2003년에 발간한 제 영문시집 《평화를 향한 투쟁》에 아주 멋진 소개문을 써주셨습니다. 다시금 진심으로 감사의 인사를 드립니다.

로트블랫 이케다 회장의 시는 매우 아름답고 희망과 두려움에 대한 사색 그리고 꿈을 강조한 메시지로 가득합니다. 제 마음에 직접 울려 퍼지듯 표현되어 있습니다. 그래서 저는 이케다 회장처럼 현대 시인이 쓴 세련된 시를 읽는 것을 좋아합니다. 소개문에 '이케다 회장의 글은 절망으로 괴로워하는 사람에게 희망을 주고 약자에게 강한 힘을 주고 패자에게 용기를 준다'고 쓴 그대로입니다.

이케다 과찬이십니다. 시는 인간의 정신을 무한히 넓히고 풍요롭게 만듭니다. 시는 음악처럼 국경이나 거리를 초월해 인간의 마음을 잇습니다. 시의 세계에는 차별 따위 없습니다. 그래서 저는 시를 소중히 여깁니다.

박사도 평화를 위한 시를 쓰셨다고 들었습니다.

로트블랫 예. 하지만 아무래도 저는 시 쓰는 재능이 없는 듯합니다. (웃음)

저는 언어 연구를 좋아합니다. 말의 기원이나 의미를 배우고 새로운 말을 익히는 일에 흥미가 있습니다. 저는 제 생각을 산문으로 표현하고 있습니다.

이케다 시는 형식이 아닙니다. 시는 사람들을 뒤흔드는 열정이라고 할 수 있습니다. 박사의 평화를 향한 마음이 담긴 시도 박사의 많은 저서나 논문과 함께 더욱 널리 읽혀야 한다고 생각합니다.

박사와 함께 다음 세대에 남긴다는 심정으로 이야기를 나누고 있는데 끝으로 청년에게 거는 기대를 여쭙고 싶습니다.

퍼그워시회의에서도 '퍼그워시회의 학생그룹'[14]의 활약을 기대하고 있습니다.

박사는 어떤 심정으로 이러한 젊은 과학자 그룹을 결성하셨는지요?

로트블랫 이전에도 말씀드린 적이 있는데 본디 퍼그워시회의는 최첨단을 달리는 과학자가 연대하여 자신들의 노력을 모으기 위해 시작했습니다.

'러셀·아인슈타인 선언'도 마찬가지로 그러한 생각에서 과학자가 서명하고 지지했습니다.

그러나 미래의 일도 생각해야 합니다. 때때로 나이 든 사람은 무심코 나이 든 사람들끼리만 이야기하게 됩니다. 그리고 자신들 사이에서만 이해하고 받아들이는 경우가 많습니다.

그러나 우리는 다음 세대가 살아갈 지금까지의 세계보다 훨씬 좋은 세계를 구축할 수 있도록 젊은 사람들을 우리가 갖고 있는 모든 것을 쏟아 육성해야 합니다. 비참한 역사를 두 번 다시 반복하지 않도록 온 힘을 다해 노력해야 합니다.

그래서 퍼그워시회의에서는 젊은 세대 과학자를 넣었고 특히 대학생을 중요하게 여겨 육성했습니다.

퍼그워시회의에서 토의로 다루어야 하는 여러 문제는 교육의 장에도 도입해야 합니다. 그래서 젊은 과학자들이 핵폐기 등 과제에 관해 더 많은 기회를 확실하게 접할 수 있도록 '퍼그워시회의 학생그룹'을 결성했습니다.

이케다 굉장한 선견지명이십니다. 이전에 남아공의 만델라[15] 전 대통령과 만났을 때도 후계자를 주제로 이야기했습니다.

1만 일에 달하는 동안 옥중에서 펼친 숭고한 인권투쟁도 후계자가 없이는 미래에 결실을 맺지 못한다는 생각에서 저는 대통령에게 물었습니다.

"후계자는 있으신지요? 지금 전 세계가 그 점에 주목하고 있습니다."

그러자 만델라 전 대통령은 빙그레 웃으면서 "후계자는 있습니다" 하고 대답하셨습니다.

우리 SGI도 평화, 문화 운동과 청년 육성에 가장 힘을 쏟고 있습니다.

도다 제2대 회장은 "새로운 세기를 창조하는 것은 청년의 열과 힘이다" 하고 거듭 강조하여 오늘날 펼치는 운동의 토대를 구축했습니다.

그런데 박사는 젊은 학생들을 대할 때 어떤 점을 신경 쓰십니까?

로트블랫 저는 퍼그워시회의에서 가장 연장자이지만 나이 차이는 전혀 문제가 되지 않습니다. 젊은 사람들과는 아주 좋은 관계를 유지하고 있습니다.

젊은 시절에는 저와 나이 차이가 많이 나는 사람과 잘 해가리라 생각하지 못했습니다. 그러나 지금 제 조수는 저보다 예순 살이나 어리지만 나이 차이로 당혹감을 느낀 적이 없었습니다. 형제처럼 서로 격려하면서 동료로서 함께 일하고 있습니다.

이케다 실로 아름다운 모습이군요. 그렇게 지낼 수 있는 이유는 박사가 늘 겸허하고 마음이 젊으시기 때문이지 않을까요?

로트블랫 저는 제가 노인이라고 생각한 적이 없고(웃음) 늘 청년의 기분입니다.

하지만 인간의 몸에는 한계가 있어서 요즘은 육체적인 노화를 느끼고 있습니다.

그러나 육체적인 노화일 뿐 정신은 그렇지 않습니다. 저는 아직 젊디젊은 정신으로 살아가고 있습니다.

퍼그워시회의는 제가 가장 나이가 많음에도 불구하고 연장자와 청년 사이를 연계하는 역할을 제게 임명했습니다. 현재 매우 좋은 관계를 서로 유지하고 있어서 기쁩니다.

이케다 마키구치 초대 회장도 70대에 들어서도 입버릇처럼 "우리 청년은!" 하고 의기양양하게 말씀하셨습니다.

박사도 그야말로 '생애 청춘'의 모범적인 인생이십니다.

로트블랫 2004년 10월, 한국 서울을 방문했을 때, 기쁜 일이 있었습니다. '퍼그워시회의 학생그룹'의 모든 멤버가 참석했는데 모두 제가 가르친 학생들이었습니다.

그리고 다음 프로젝트에 제 이름을 붙이자고 했습니다. 대단한 영광이라고 생각했습니다. 서울에서 개최한 퍼그워시회의 연차총회에서 발표되어 굉장히 기뻤습니다.

이케다 스승인 로트블랫 박사를 선양하고 싶었을 것입니다.

저도 스승을 세계에 선양했기 때문에 그 심정을 잘 압니다. 사제(師弟)는 가장 숭고한 인간의 유대입니다.

로트블랫 젊은이의 정열은 매우 중요합니다. 인간은 나이를 먹으면 굉장히 많은 일이 일어나 지칠 대로 지치기 때문입니다. 청년의 정열과 힘 그리고 패기는 때로는 지나치게 과격하거나 극단적일 수 있지만 그래도 중요합니다. 저는 늘 그것을 넓은 마음으로 포용해 짓밟거나 없애거나 하지 않도록 노력했습니다. 반대로 그 정열을 계속 불태우도록 격려했습니다.

이케다 모범적인 지도자의 모습입니다.

평화로운 지구사회를 구축하려면 인류의 행복을 위해 행동하고 헌신하는 많은 청년을 육성하는 수밖에 없습니다.

인류의 희망찬 미래를 여는 '세계시민교육' '평화교육'을 추진하기 위해 저도 박사의 마음을 제 마음으로 하여 더욱 굳은 결의로 힘쓰겠습니다!

박사는 바쁘신 상황임에도 불구하고 장기간에 걸쳐 대담을 완성하기 위해 온 힘을 기울여 주셨습니다.

영원한 '지구 평화를 향한 탐구'를 위해 인류의 미래를 전망하고 희망의 철학을 말씀해주신 박사의 진심과 뜨거운 정열에 진심으로 감사합니다.

로트블랫 저야말로 오랫동안 염원한 이케다 회장과 이렇게 대담을 실현할 수 있어 진심으로 기쁩니다.

핵무기와 전쟁이 없는 세계를 실현하기 위해 회장의 왕성한 활약을 기대하겠습니다.

발간에 즈음하여

조지프 로트블랫 박사와 이케다 회장은 매우 위대한 사상가일 뿐만 아니라 두 분은 사람들이 인류 공통의 이익을 위해 그 능력을 최대로 발휘할 수 있는 평화로운 세계를 실현하기 위해 인생을 바쳤습니다. 두 분의 대담은 많은 사람에게 마음속 깊은 울림과 촉발을 줄 것입니다.

이케다 다이사쿠 회장은 유엔에 협력하는 비정부기구(NGO)로 인간의 존엄과 평화라는 보편적인 가치를 실현하기 위해 헌신적으로 활동하는 국제창가학회(SGI)의 회장입니다. 이케다 회장은 불교인으로서 모든 인간은 다른 사람들과 조화하여 무한한 가치를 창조하는 능력이 있다고 믿습니다. 이케다 회장은 지금까지 창가학회의 발전 그리고 사람들의 존엄과 기본적인 권리를 존중하는 세계를 실현하기 위해 힘썼습니다. 뛰어난 많은 저서를 출판하고 세계 각국에 교육, 평화, 문화에 관한 여러 기관을 설립했습니다.

로트블랫 박사는 인류가 직면한 여러 문제를 해결하기 위해 과학이 도움이 된다고 믿는 과학자이지만 종교의 역할도 인정합니다. 그러나 박사 자신은 불가지론자였습니다. 박사는 제2차 세계대전 때, 연합군이 원자폭탄을 보유하면 두 진영 모두 그것을 사용할 수 없게 될 것이라고 믿어 개발에 협력했습니다. 그러나 독일이 원자폭탄 개발을 포기했다는 사실이 명백해지자 과학자의 양심에 따라 개발계획에서 오직 홀로 빠져나왔습니다. 박사는 원자폭탄이 제조되었을 뿐 아니라 많은 인구가 사는 도시에 투하되었다는 사실을 알고는 큰 충격을 받았습니다. 그리고 남은 인생을 핵무기 폐기와 방사선 의학 연구에 바쳤습니다.

로트블랫 박사와 이케다 회장은 전쟁을 완전히 없애는 일의 중요성에 초점을 맞춰 그것은 가능하다고 확신했습니다. 그리고 교육이 그 목표를 달성하기 위해 반드시 필요한 수단이 라고 생각했습니다.

이케다 회장은 수많은 상을 받았는데 그중에는 유엔평화상도 포함되어 있습니다. 로트블랫 박사는 '과학과 세계 문제에 관한 퍼그워시회의'의 중심자로서 냉전이 종결된 뒤에도 핵무기 폐기를 위해 힘써 1995년 퍼그워시회의와 함께 노벨평화상을 수상했습니다.

이상을 행동으로 옮기는 두 분에게 탁월한 능력이 생긴 배경은 청년 시절에 겪은 가혹한 체험이 있기 때문일지도 모릅니다. 로트블랫 박사는 제1차 세계대전이 한창일 때, 바르샤바에서 굶주림에 허덕이는 고통을 경험했습니다. 이케다 회장은 제2차 세계대전으로 황폐해진 일본의 비참한 생활을 겪었습니다.

또 두 분 모두 10대 후반에 만난 계몽적인 스승의 영향일 것입니다. 로트블랫 박사의 스승은 바르샤바 방사선연구소 소장인 베르텐슈타인 박사(폴란드자유대학교 교수)였습니다. 박사는 일류 과학자일 뿐만 아니라 윤리적 가치를 중요하게 여기는 인도주의자였습니다. 이케다 회장에게는 도다 조세이 창가학회 제2대 회장이 스승이었습니다. 도다 제2대 회장은 퍼그워시회의가 발족한 해에 원수폭금지선언을 발표했습니다. 그러나 이렇게 세대도 문화도 철학적 배경도 다른 두 사람이 기본적인 인간의 가치를 중시하는 등 사고방식에 공통점이 많다는 점은 매우 주목할 가치가 있습니다. 대담에서는 맨해튼계획의 경위와 퍼그워시회의의 역사 등에 관해 많은 점을 이야기했는데 모든 인간이 상호 이해하는 가운데 생활할 수 있는 평화로운 세계의 필요성이 중심 주제입니다.

두 분은 지역의 통합성을 유지하면서도 문화와 인종, 종교의 차이가 지구 규모의 협력과 우정의 방해가 되지 않도록 세계의 통치 형태를 탐구했습니다. 두 분 모두 그러한 세계가 곧바로 실현되리라 생각하지 않지만 오늘날의 청년들이 인생의 올바른 역할을 찾을 수 있도록 돕는 필요성을 강조했습니다. 그러려면 교육이 굉장히 중요한 역할을 해야 합니다. 그것은 단순히 지식을 축적하는 것이 아닌 배우면서 지혜를 연마하는 법을 가르치는 교육입니다.

두 분 모두 유엔 지원과 국제법 존중의 중요성에 동의합니다. 로트블랫 박사는 적절한 과학 활용의 관점에서 미래를 보고,

이케다 회장은 불교 철학과 논의의 관점에서 고찰했습니다. 그러나 이러한 차이는 두 분이 깊은 이해를 나누는 데 전혀 방해가 되지 않았습니다. 그러한 이해는 공통의 가치관에서 생겨나 깊은 우정으로 결실을 맺었습니다.

전쟁을 체험한 저와 같은 세대 사람들은 반드시 저와 마찬가지로 이 대담에 틀림없이 감동할 것입니다. 그리고 더욱 중요한 점은 이 대담은 모든 세대 사람들에게 인류에 공헌하기 위해 최대로 노력하자는 결의를 촉구하는 촉발이 될 것입니다.

2006년 1월

로버트 힌데(케임브리지대학교 교수)

제1장 러셀·아인슈타인 선언

1. 도다기념국제평화연구소 도다 조세이 창가학회 제2대 회장을 현창하는 마음을 담아 도다 회장의 96번째 탄생일인 1996년 2월 11일에 설립했다. 초대 소장은 하와이대학교 마지드 테헤라니안 교수가 역임했다.

2. 오키나와국제회의 2000년 2월 11~13일.

3. 핵전쟁방지국제의사회(IPPNW) 1980년 12월, 라운 박사와 차조프 박사가 주고받은 편지를 계기로 미국과 소련의 의사들이 모여 의사의 관점에서 핵전쟁에 반대하는 등 원칙에 합의했다. 이것이 이 협회 설립의 기초가 되었다.

4. 핵확산금지조약(NPT) 미국과 소련 두 진영의 제안을 바탕으로 1968년 7월, 워싱턴을 비롯해 런던, 모스크바에서 62개국이 이 조약에 조인하고 1970년 3월에 발효했다. 현재까지 190개국이 가입했다. 일본은 1976년에 비준했다.

5. 러셀·아인슈타인 선언 1955년 7월 9일, 런던에서 의결했다. 서명자는 당시 노벨물리학상 수상자인 보른과 브리지먼을 비롯해 아인슈타인, 파월, 유

카와 히데키 그리고 노벨화학상 수상자인 퀴리와 폴링(노벨평화상도 수상), 노벨문학상 수상자 러셀, 노벨생리의학상 수상자인 멀러 등 9명과 로트블랫(나중에 노벨평화상 수상)과 인펠트가 있다.

6. 도다 조세이 1900~1958년. 창가학회 제2대 회장. 초등학교 교사 시절에 마키구치 쓰네사부로(牧口常三郎) 초대 회장을 사사했다. 제2차 세계대전 때 불경죄와 치안유지법 위반으로 마키구치 초대 회장과 함께 투옥당했다. 1951년에 제2대 회장에 취임했다. 그 뒤, 창가학회가 발전한 기초를 구축하고 '원수폭금지선언'을 발표하는 등 창가학회가 펼치는 평화운동의 지침에 관해 명확한 이념을 세웠다.

7. 원수폭금지선언 1957년 9월 8일, 요코하마 미쓰자와경기장에서 도다 제2대 회장이 발표했다. '생존권리'라는 보편적인 철학에 입각해 핵무기를 '절대악'으로 단죄했다.

8. 대량보복전략 1954년 1월, 덜레스 미국 국방장관이 제창했다. 미국이 곧바로 보복할 수 있는 강력한 핵전력을 보유함으로써 공산주의 세력의 침략을 막기 위한 전략이다. 뉴룩전략이라고도 부른다.

9. 비키니환초 서태평양 마셜제도공화국에 있다.

10. 북대서양조약기구(NATO) 1949년에 조인한 북대서양조약을 바탕으로 설립한 국제군사기구다.

11. 바르샤바조약기구(WTO) 1955년에 조인한 바르샤바조약을 바탕으로 설립한 사회주의 진영의 최대 국제군사기구다.

12. 버트런드 러셀 1872~1970년. 영국의 철학자이자 수학자다. 1950년에 노벨문학상을 수상했다. 대표 작품으로《인간의 지식》《나는 이렇게 철학을 하였다》등이 있다.

13. 열핵폭탄 중수소의 원자핵 융합반응을 이용해 만든 핵무기다.

14. 알베르트 아인슈타인 1879~1955년. 미국의 이론물리학자다. 1905년에 특수상대성이론, 1915년에 일반상대성이론을 완성하고 1921년에 노벨물리학상을 수상했다.

15. 제5후쿠류마루호 1954년 3월 1일, 미국이 비키니환초에서 수소폭탄실험을 하고자 설정한 위험수역 밖에서 조업을 한 야이즈항 소속의 제5후쿠류마루호에도 방사성 물질을 포함한 재(죽음의 재)가 떨어졌다.

16. 유카와 히데키 1907~1981년. 일본의 물리학자다. 중간자이론을 제시했다. 1949년, 일본에서 최초로 노벨물리학상을 받았다. 대표 저서로 《유카와 히데키 저작집》 등이 있다.

17. 라이너스 폴링 1901~1994년. 미국의 물리화학자다. 분자와 결정체의 구조, 양자역학을 이용한 화학 응용 등 여러 방면의 연구를 추진했다. 1954년에 노벨화학상, 1963년에 노벨평화상을 받았다. 대표 저서에 《화학결합론》 《노 모어 워》 등이 있다.

18. 레오폴트 인펠트 1898~1968년. 폴란드의 물리학자다. 양자전기역학을 연구했다. 아인슈타인과 공동으로 《물리는 어떻게 진화했는가》라는 책을 썼다.

19. 퍼그워시회의 핵무기 폐기와 전쟁이 없는 세계를 목표로 세계의 과학자가 모여 1957년 7월에 발족했다. 캐나다의 어촌 마을인 퍼그워시에서 제1회 대회를 개최한 일을 계기로 이 이름을 붙였다.

20. 클레어몬트·매케나대학교 강연 1993년 1월, 이케다 SGI 회장은 미국 캘리포니아주에 있는 클레어몬트·매케나대학교에서 '새로운 통합원리를 구하여'라는 주제로 강연을 했다.

21. '라이너스 폴링과 20세기'전 폴링 박사의 사상과 업적을 소개하는 이 전시는 1998년 미국을 비롯해 일본과 스위스, 이탈리아 등에서 개최했다.

22. 맨해튼계획 제2차 세계대전 때, 미국에서 추진한 원자폭탄 개발과 제조 계획을 말한다. 이 결과 1945년 7월, 세계 역사상 첫 핵실험을 하고 8월에는 히로시마와 나가사키에 원자폭탄을 투하했다. 이 계획의 중심자인 로버트 오펜하이머의 제안으로 연구소는 뉴멕시코주 로스앨러모스에 세워져 오펜하이머가 소장에 취임하고, 노벨물리학상 수상자인 어니스트 로렌스를 비롯해 하버드대학교와 캘리포니아대학교 등 명문대학의 학생이 총동원되었다. 나치스 독일에 핵무기 개발의 선두를 빼길까 두려워 헝가리 출신의 레오 실라드 등이 아인슈타인을 통해 루스벨트 대통령에게 개발을 서두르자는 의견을 전하도록 한 일을 계기로 시작되었다고 한다. 그러나 아인슈타인은 핵이 무기에 응용되는 것에는 관심이 없어 실제로 개발을 시작한 사실도 알지 못했다.

23. 프랭클린 루스벨트 1882~1945년. 미국의 정치가이자 제32대 미국 대통령이다. 1933년부터 1945년까지 4기에 걸쳐 대통령을 역임했다. 뉴딜정책 등을 실시했다.

24. 나치스 국가사회주의 독일노동자당을 말한다. 1921년부터 히틀러가 지도자가 되었다. 1933년에 정권을 장악하자 일당 독재체제를 확립해 유럽과 러시아 각지를 침략하고 유대인을 학살했다.

25. 아돌프 히틀러 1889~1945년. 독일의 정치가다. 1933년에 총리, 이듬해 1934년에 대통령을 겸한 총통으로 불리며 독재정치를 했다.

26. 아우슈비츠 폴란드 남부에 있는 도시로 제2차 세계대전 때, 독일에 점령당했다. 교외에 거대한 강제수용소가 있다.

27. 홀로코스트 전멸, 대학살을 의미하는 말이다. 나치스의 아우슈비츠를 비롯한 강제수용소에서 유대계의 일반시민 등 약 600만 명이 살해되었다고 전해진다.

28. 드레스덴 독일 동부에 있는 작센주의 주도다. 1945년 2월, 영국과 미공군의 폭격으로 사망자가 3만 5000명 이상에 이르는 피해를 입었다.

29. 레오 실라드 1898~1964년. 헝가리 출신의 물리학자다. 1933년에 영국으로 망명했다. 1942년 이후 원자폭탄 제조 프로젝트에 참여했으나 일본에 원자폭탄을 투하하는 일에는 반대했다.

제2장 히로시마와 나가사키가 '인류에게 주는 교훈'

1. 닐스 보어 1885~1962년. 덴마크의 이론물리학자다. 영국과 미국의 최고 지도자에게 원자력의 국제관리안을 제창하는 등 원자력의 평화적 이용을 실현하고자 했다. 또 아들 아게 보어는 1975년에 노벨물리학상을 수상했다.

2. 핵억지력 핵무기의 보유는 그 절대적인 파괴력 때문에 오히려 전쟁을 억지하는 힘이 된다는 사고방식이다. 영국의 처칠 총리가 말한 '공포의 균형'이라는 사고방식을 바탕으로 한다.

3. 핵무기 위협전 SGI가 유엔 홍보국과 협력해 세계의 주요 도시를 순회한 전시다. 제1회는 1982년에 유엔본부에서 개최했다. 이후 20년 동안 24개국·38개 도시에서 개최했다.

4. 전쟁과 평화전 1989년, 뉴욕에 있는 유엔본부에서 시작해 이후 보스턴, 제네바 등에서 개최했다. 일본에서는 1991년에 히로시마에서 처음 개최했다.

5. 모한다스 카람찬드 간디 1869~1948년. 인도 독립의 아버지다. 비폭력과 불

복종을 바탕으로 한 독립운동을 지도했으며 영국에서 독립을 쟁취한 직후 암살당했다. 인도 시인 타고르가 마하트마(위대한 혼)라고 칭했다.

6. 노먼 커즌스 1915~1990년. 미국 저널리스트다. 종합평론지 편집장을 오랫동안 맡은 반면에 저널리즘의 틀을 뛰어넘어 평화와 국제문화 교류에 힘썼다. 문학, 교육학, 인문학 박사다. 유엔평화상을 수상했다. 이케다 SGI 회장과 대담집 《세계시민의 대화》를 발간했다.

7. 에드워드 텔러 1908~2003년. 헝가리 출신의 미국 물리학자다. 1949년부터 2년간 로스앨러모스연구소 부소장으로서 수소폭탄 개발을 지휘했으며 '수소폭탄의 아버지'라고 부른다.

8. 해리 S. 트루먼 1884~1972년. 제33대 미합중국 대통령이다. 1944년에 부대통령으로 취임했으며 루스벨트 대통령의 죽음으로 1945년에 대통령으로 취임했다.

9. 로버트 오펜하이머 1904~1967년. 미국의 이론물리학자다. 세계 최초로 원자폭탄을 제조한 지도자다. 1943년부터 1945년까지 로스앨러모스연구소 소장을 역임했다.

10. 힌두교 바라문교가 민간신앙과 융합해 형성된 인도의 민족종교다. 다신교로서 개조라 할 만한 인물은 없다.

11. 《바가바드기타》 인도의 종교서 중 하나다. 힌두교 비슈누파의 중요한 성전 중 하나다. 출전은 마하바라타다.

12. 요시다 후미히코가 쓴 《증언 핵억지의 세기》에서 인용했다.

13. 마키구치 쓰네사부로 1871~1944년. 지리학자이자 교육자다. 창가학회 초대 회장이다. 미(美), 이(利), 선(善)의 가치관에 바탕을 둔 창가교육학설과 니치렌 불법의 신앙 실천을 위해 창가교육학회(창가학회의 전신)를 설립했다.

제2차 세계대전 때, 당시 군국주의와 그 사상적 배경을 이룬 국가신도를 비판했다. 불경죄와 치안유지법 위반으로 투옥당해 옥사했다.

14. 원자력과학자협회 1946년, 로트블랫 박사와 캐슬린 론즈데일 박사가 공동으로 결성했다. 영국에서 핵폐기에 대해 처음 조직적으로 행동했다.

15. 핵물리학 원자핵물리학이라고도 한다. 원자핵, 소립자 및 우주선에 관한 물리학을 말한다.

16. 방사선의료 주로 엑스선을 이용한 의학적인 진단과 치료를 연구하는 학문이다. 1895년 뢴트겐이 엑스선을 발견해 시작되었다.

17. 코발트 원소기호는 Co다. 철족에 속하는 원소 중 하나다.

18. 원폭돔 히로시마시 나카구 오테마치에 있는 옛 히로시마현 산업장려관이다. 히로시마 원자폭탄의 상징으로 영구 보존하고 있다. 1996년에 유네스코 세계유산에 등록되었다.

19. 소형핵무기 폭발력이 수킬로톤 이하의 핵무기(히로시마형 원자폭탄은 15킬로톤)를 말한다. 통상 무기와 같이 '사용할 수 있는 핵무기'를 목표로 한다.

20. 상호확증파괴 어느 쪽이 먼저 핵공격에 나서도 상대국에 똑같이 보복 핵공격이 가능한 상태를 유지해 상호 핵전쟁을 방지하려는 전략이다.

21. 유럽연합(EU) 1993년 마스트리히트조약이 발효되어 결성됐다. 유럽공동체(EC)의 새로운 명칭이다. 초기 가맹국은 EC에 가입한 12개국이다.

제3장 반전정신을 기른 '사제의 길'

1. 바르샤바 폴란드의 수도다. 인구는 약 164만 명이다.

2. 제정 러시아 1917년에 러시아 혁명으로 붕괴되기 전까지 러시아 정치체

제를 말한다.

3. 프로이센 독일 동북부 지방이다. 19세기에 독일을 통일하는 데 중심 세력이 되어 제1차 세계대전 이후에도 독일 국내에서 독자적인 정부를 꾸렸다. 제2차 세계대전 이후에 옛 영역이 대부분 소련과 폴란드에 분할 병합되고 프로이센이라는 명칭도 소멸했다.

4. 폴란드 분할 1772년, 1793년, 1795년 세 차례에 걸친 분할을 가리킨다. 제3차 분할로 폴란드는 일시적으로 멸망했다.

5. 프레데리크 쇼팽 1810~1849년. 폴란드 작곡가이자 피아니스트다. '24의 전주곡' '발라드 제4번' '환상의 폴로네이즈' 등의 피아노곡이 대표작이다.

6. 아담 미츠키에비치 1798~1855년. 폴란드 시인이다. 러시아에 유배된 뒤 프랑스로 망명했다. 대표작으로 시집 《발라드와 로맨스》, 시극 〈조상의 황혼〉 등이 있다.

7. 폴란드 점거 1915년 8월에 독일군은 러시아령 폴란드를 점령했다.

8. 폴란드 독립 폴란드를 분할한 3개국 중 프로이센과 오스트리아가 제1차 세계대전에 지고 러시아에서는 혁명이 일어나면서 1918년에 독립했다.

9. 류머티즘 근육이나 관절에 통증과 염증이 생기는 질환이다.

10. 버마 1988년, 버마연방 네윈체제는 민주화를 요구하는 운동으로 붕괴되지만 육군이 곧바로 쿠데타를 일으켜 군정을 배치해 1989년에 국가명을 버마연방에서 미얀마공화국으로 바꿨다.

11. 쥘 베른 1828~1905년. 프랑스 소설가이자 공상과학소설 작가다. 공상과학소설의 아버지라고 불린다. 대표작으로 《지구 속 여행》《달나라탐험》 등이 있다.

12. 콘스탄틴 E. 치올콥스키 1857~1935년. 옛 소련의 물리학자다. 중학교 교

사를 하면서 집에서 로켓이론을 계속 연구하고 실험해 1898년에 대표 논문 '로켓에 의한 우주공간의 탐구'를 발표했다.

13. 1949년부터 도다 조세이 창가학회 제2대 회장이 경영하는 출판사 일본정학관에 입사한 이케다 SGI 회장은 소년잡지 〈모험소년〉(훗날 〈소년일본〉으로 이름 변경)의 편집에 종사하고 편집장도 맡았다.

14. 마리 퀴리 1867~1934년. 프랑스 여성 화학자이자 물리학자다. 폴란드 출신으로 1898년, 남편인 피에르 퀴리와 협력해 우라늄 광석 중에 라듐, 폴로늄을 발견했다. 퀴리 부부와 베크렐은 1903년에 노벨물리학상을 받았다.

15. 2000년 2월, 오키나와에서 수여했다.

16. 리버풀대학교 1881년에 개교했다. 영국 최초의 시립대학 중 하나다.

17. 프레데리크 졸리오 퀴리 1900~1958년. 프랑스 원자물리학자다. 1925년, 라듐연구소에서 마리 퀴리의 조수로 일할 때 퀴리 부인의 딸인 이렌과 만났다. 1935년에 아내 이렌과 함께 노벨화학상을 수상했다.

18. 이렌 퀴리 1897~1956년. 프랑스 원자물리학자다. 블룸 내각의 과학담당 국무차관을 맡고 어머니의 후임으로 파리대학교 교수도 역임했다.

19. 소카여자단기대학교 1985년, 이케다 SGI 회장이 도쿄 하치오지시에 설립했다.

20. 엘렌 퀴리 1927~. 프랑스 핵물리학자다. 국립과학연구소 명예연구원 등을 역임했다.

21. 제임스 채드윅 1891~1974년. 중성자 발견으로 1935년, 노벨물리학상을 수상했다. 제2차 세계대전 중 맨해튼계획에도 참여했다.

22. 국제적십자 전쟁, 지역 분쟁, 대규모 재해, 기아 등이 발생했을 때, 군인이나 부상당한 병사, 난민 등의 의료 원조와 식량 지원 등 구제활동이 주된

활동이다. 본부는 스위스 제네바에 있다.

23. 추축국 제2차 세계대전 전부터 전쟁 중에 걸쳐 영국, 프랑스, 미국 등 연합국에 대항해 일본, 독일, 이탈리아를 중심으로 동맹관계를 맺은 나라다.

24. 베니토 무솔리니 1883~1945년. 이탈리아 정치가다. 1919년, 파시스트당을 조직해 1922년에 정권을 장악하고 파시스트 독재체제를 수립했다. 이탈리아·에티오피아 전쟁, 스페인 내란 개입 등 대외침략을 추진했다.

25. 이오시프 스탈린 1879~1953년. 소련 공산당의 지도자다. 1922년에 당서기장에 취임했다. 일국사회주의론을 주장해 트로츠키를 물러나게 하고 1920년대 말에 당과 정부를 완전히 장악했다. 1936년에 이른바 스탈린 헌법을 제정해 그해부터 1938년까지 많은 고참 당원을 처형하는 대숙청을 펼쳤다.

제4장 맨해튼계획의 진실

1. 중성자 소립자의 하나로 뉴트론이라고도 한다. m 또는 N으로 표기한다.

2. 해럴드 유리 1893~1981년. 미국의 화학자로 1932년에 중수소를 발견하고 1934년에 노벨화학상을 수상했다.

3. 중수소 수소의 무거운 동위원소의 총칭으로 질량수가 2이면 듀테륨, 3이면 트리튬이라고 한다.

4. 어니스트 로렌스 1901~1958년. 미국의 실험물리학자로 1932년에 입자가속기인 사이클로트론을 고안해 발표했다. 1939년에 노벨물리학상을 수상했다.

5. 사이클로트론 양자와 알파입자 등의 하전입자가속기 중 하나다.

6. 핵분열 우라늄, 토륨, 플루토늄 등의 무거운 원자핵이 거의 같은 크기의 2개 이상의 원자핵으로 분열하는 것을 말한다.

7. 원자핵 원자의 중심부에 있으며 양전하를 띠는 입자다.

8. 리제 마이트너 1878~1968년. 오스트리아 출신의 스웨덴 물리학자로 훗날 스웨덴에 귀화한다. 주로 방사능을 연구했다.

9. 오토 프리슈 1904~1979년. 독일의 물리학자로 우라늄의 핵분열을 연구했다.

10. 폴란드 침공 1939년 9월 1일.

11. 버밍엄대학교 영국의 종합대학으로 1900년에 개교했다.

12. 루돌프 파이얼스 1907~1995년. 독일 출신의 영국 물리학자로 1940년에 핵분열 에너지에 관한 논문을 발표한 일을 계기로 맨해튼계획에 참여했다.

13. 시카고대학교 1890년에 개교한 대학으로 노벨상 수상자를 많이 배출했다. 특히 경제학 분야로 유명하다.

14. 엔리코 페르미 1901~1954년. 이탈리아 출신의 미국 물리학자로 1938년에 노벨물리학상을 수상했다. 제2차 세계대전 때에는 주로 원자력 연구에 종사했다.

15. 1974년 9월에 1000만 명 서명을 달성했다.

16. 마크 올리펀트 1901~2000년. 호주의 물리학자로 헬륨3과 삼중수소를 발견한 이외에도 1934년에 수소의 핵융합을 발견했다.

17. 윈스턴 처칠 1874~1965년. 영국의 정치가로 1940년부터 1945년까지 그리고 1951년부터 1955년까지 두 차례 총리를 역임했다. 1953년에 《제2차 세계대전사》로 노벨문학상을 수상했다.

18. 리처드 파인먼 1918~1988년. 미국의 이론물리학자다. 양자전기역학의

기초연구로 1965년 노벨물리학상을 수상했다. 저서로《파인먼물리학1~4》《물리법칙은 어떻게 발견되었는가》등이 있다.

19. 레슬리 그로브스 1896~1970년. 미국의 군인으로 맨해튼계획에서 과학기술적인 면뿐만 아니라 과학자와 기술자 관리를 비롯한 모든 면에서 지도력을 발휘했다.

20. 노르망디 상륙작전 1944년 6월 6일, 연합군이 독일이 점령한 서유럽을 탈환하기 위한 목적으로 이행한 작전이다. 300만 명에 가까운 병사가 프랑스 노르망디에 상륙한 사상 최대의 상륙작전이다.

21. 임팔 전투 일본 육군이 인도 동북부에 있는 임팔을 공략하기 위해 1944년 3월부터 개시한 전투다.

제5장 퍼그워시회의의 도전

1. 사이러스 이튼 1883~1979년. 캐나다의 사업가이자 정치가로 퍼그워시 출신이다. 철강, 석탄, 선로 회사 등 다수의 회사를 설립했다.

2. 판디트 자와할랄 네루 1889~1964년. 인도의 초대 총리(임기 1947~1964)로 간디와 만나 민족운동에 힘썼다. 아홉 차례나 투옥되고 그 투옥생활은 3200일 이상에 달한다. 중국의 저우언라이 총리(1898~1976)와 평화 5원칙 성명과 제1차 아시아·아프리카회의 조직 등 많은 업적을 세웠다.《세계사편력》《네루자서전》등의 유명한 저서도 남겼다.

3. 헝가리 동란 1956년, 비스탈린화를 바라는 시민과 정부 사이에 무력충돌이 일어났다. 소련이 군사 개입해 친소 정권을 수립했다.

4. 수에즈 동란 수에즈 전쟁이라고도 한다. 1956년 영국과 미국의 아스완하

이댐 건설 지원계획의 철회를 계기로 이집트의 나세르 대통령이 수에즈 운하의 국유화를 선언했다. 이에 반대해 영국과 프랑스 그리고 이스라엘이 군대를 파견했다. 이듬해인 1957년에 완전히 철수했다.

5. 도모나가 신이치로 1906~1979년. 일본의 물리학자로 양자전기역학을 연구하여 1943년에는 초다시간이론을, 1946년부터 1947년엔 재규격화이론을 발표했다. 1965년에 노벨물리학상을 수상했다.

6. 오가와 이와오 1921~2006년. 일본의 핵물리학자로 도쿄대학교와 릿쿄대학교에서 교편을 잡았다. 제1차 퍼그워시회의에 참석한 뒤 10여 차례에 걸쳐 이 회의에 참석했다. 저서로《원자폭탄 투하와 과학자》등이 있다.

7. 알렉세이 코시긴 1904~1980년. 소련의 정치가로 섬유공장의 기술자 등을 거쳐 1939년에 공산당 중앙위원회의 중앙위원으로 발탁되었다. 1964년에 흐루쇼프를 퇴진시키고 1980년까지 총리를 역임했다.

8. 존 F. 케네디 1917~1963년. 미국의 정치가로 민주당에서 선출된 제35대 대통령이다. '온건 진보파'로 뉴프런티어를 제창해 세계평화를 위한 외교를 주장했다. 텍사스주의 댈러스에서 유세 도중 암살당했다.

9. 니키타 흐루쇼프 1894~1971년. 소련의 정치가로 1955년부터 공산당 정부의 최고 실력자로서 평화공존외교 등을 펼치고 1958년 총리에 취임했다. 중국과 소련 간의 문제 해결과 농업정책의 지도에 실패해 1964년에 실각되었다.

10. 모스크바대학교 러시아에서 가장 오래된 종합대학으로 러시아의 시인이자 학자인 로모노소프가 1755년에 창립했다.

11. 베이징대학교 중국 베이징에 있는 대학으로 1898년에 캉유웨이 등이 설립한 경사대학당이 1912년, 베이징대학교로 바뀌었다.

12. 베트남 전쟁 제2차 인도차이나 전쟁이라고도 한다. 북베트남과 남베트남의 해방민족전선이 미국 및 남베트남 정부와 벌인 전쟁으로 1960년부터 1975년까지 이어졌다.

13. 아프가니스탄 침공 친소련의 사회주의 정권에 대항해 무장 게릴라 세력이 일으킨 반정부 투쟁이 격화되어 소련이 1979년에 아프가니스탄을 침공했다. 소련은 1989년에 물러났다.

14. 조셉 매카시 1908~1957년. 미국의 정치가로 1950년부터 1954년경에 행한 공산주의자 탄압은 '매카시즘'으로 불리며 각종 정부 기관을 비롯해 예능계에까지 이르렀다.

15. 부분적 핵실험 금지조약 1963년, 모스크바에서 미국, 영국, 소련 3국이 조인했다. 지하실험을 제외한 모든 핵실험을 금지했다. 그해 말까지 108개국이 조인했다.

16. 베를린 장벽 붕괴 베를린 장벽은 1961년, 동독이 동독과 서독을 분리하기 위해 건설한 벽으로 1989년 11월에 붕괴되었다.

제6장 핵폐기를 위한 투쟁

1. 아널드 토인비 1889~1975년. 영국 역사가로 발생, 성장, 쇠퇴, 소멸이라는 순환을 반복하는 '문명'에 기초를 두고 거기서 법칙성을 찾으려는 독자적 역사관을 창출했다. 대작《역사의 연구》외 이케다 SGI 회장과 대담집《21세기를 여는 대화》등이 있다.

2. 미하일 고르바초프 1931~. 옛 소련의 정치가다. 소련 최고회의 의장, 소련 연방 초대 대통령을 역임하고 미·소 냉전의 종결을 이루었다. 노벨평화상 수

상. 이케다 SGI 회장과 함께 대담집《20세기 정신의 교훈》을 발간했다.

3. 스탠리 큐브릭 1928~1999년. 미국 영화감독으로 잡지 카메라맨 시절에 자신이 제작한 작품으로 영화계에 입문한다. 미래 시리즈 3부작이라 불리는 〈닥터 스트레인지러브〉〈2001 스페이스 오디세이〉〈시계태엽 오렌지〉로 세상의 인정을 받는다. 모든 제작 과정에 타협하지 않는 자세는 '완벽주의자' 라는 별명을 만들었다.

4. 카를 야스퍼스 1883~1969년. 독일의 대표적 실존철학자로 인간의 존재는 내면에서 주체성으로서 자각되는 것으로 여기고 실존의 비합리성을 강조했다. 주요 저서로《철학》《실존철학》등이 있다.

제7장 '핵억지론'이라는 기만

1 쿠바 위기 1962년, 소련의 쿠바에 대한 미사일 반입을 둘러싸고 생긴 미·소 간 대립이다. 소련이 미사일 반출에 동의한 후 해결됐다. 핵전쟁 위기를 초래했지만 미소 관계를 개선하는 계기가 되기도 했다.

2. 로버트 맥나마라 1916~2009년. 미국의 사업가, 정치가. 포드자동차 사장 등을 거쳐 케네디, 존슨 두 대통령 아래에서 국방장관을 지냈다.

3. 드와이트 D. 아이젠하워 1890~1969년. 미국 군인, 정치가. 제2차 세계대전 중에 연합군 최고사령관 등을 역임했다. 일시 퇴역해 컬럼비아대학교 총장, NATO군 최고사령관 등을 거쳐 1953년, 제34대 대통령에 취임했다.

4. 군산복합체 정부, 군부 등과 군수산업의 확대로 이익을 얻는 산업계의 상호의존체제다.

5. 한국전쟁 1950년부터 1953년까지 한국군과 북한군의 무력충돌을 계기

로 일어난 국제분쟁이다.

6. 스톡홀름 어필 1950년 3월 스톡홀름에서 개최된 세계평화옹호대회 상임위원회의 결정을 바탕으로 최초로 핵무기 사용 금지를 세계적으로 호소했다. 내용은 ①핵무기 절대 금지 ②핵무기 국제관리 ③원폭을 최초로 사용하는 정부는 인류에 대한 범죄자로 여긴다는 3항목으로 이루어져 있다.

7. 국제사법재판소 법적인 국제분쟁을 재판하고 유엔 안전보장이사회 등 국제기구의 자문에 응해 권고적 의견을 준다. 소재지는 헤이그로, 1945년에 발족했다.

8. 프랑스 혁명 1789년부터 1799년까지 프랑스에서 일어난 혁명이다. 이로 인해 부르봉 절대왕정이 붕괴되고 구체제의 봉건적 사회관계가 폐지되었다.

9. 막시밀리앙 로베스피에르 1758~1794년. 프랑스 혁명의 최고지도자 중 한 사람이다. 1793년에 독재체제를 수립했다. 반(反) 혁명파를 숙청하는 공포정치를 펼쳤으나 쿠데타로 체포되어 처형당했다.

10. 아우구스티누스 354~430년. 고대 신학자이자 철학자로 저서 《고백록》은 고대 자전문학의 최고 걸작으로 평가받는다. 그 외 저서로 《삼위일체론》 《자유의지론》 등이 있으며 기독교의 정통 교의를 확립하는 데 크게 기여했다.

11. 알렉산더 대왕 기원전 356년~기원전 323년. 마케도니아 왕국의 국왕이다. 스무 살 때 즉위해 시리아, 이집트, 페르시아를 정복했다. 그리스어를 공용어로 하는 등 헬레니즘 문화의 기초를 구축했다.

12. 헨리 L. 스팀슨센터 미국의 정치가 헨리 L. 스팀슨의 이름을 따서 1989년에 설립한 연구소다. 국가적 또는 국제적 안전에 관한 문제에 현실적인 해결책을 제공하는 것을 목적으로 한다.

13. 미국과학아카데미 국제안전보장·군비관리연구위원회 1980년에 설립했다.

14. 핵폐기를 바라는 성명으로, 1996년 12월에 발표되었다. 전 NATO 총사령관이던 앤드루 굿패스터, 미전략군 총사령관이던 리 버틀러 등을 포함한다.

15. 캔버라위원회 정식 명칭은 '핵무기 삭감에 관한 캔버라위원회'다. 호주 정부가 1995년에 설립했다. 핵무기 없는 세계 실현을 위해 실제적인 수단을 제안한다.

16. 화학무기금지조약 1997년에 발효했다. 화학무기의 개발, 생산, 저장, 사용 등을 어떠한 경우든 금지한다. 현재 체약국은 167개국이다.

17. 도쿠가와 정권 도쿠가와 이에야스는 1600년의 세키가하라 전투에서 승리하고 천하를 통일했다. 1603년에 에도에 막부를 세웠다. 이후 15대 265년에 걸쳐 장군가로서 도쿠가와 가문이 정권을 계속 장악했다.

18. 아파르트헤이트 '분리'를 의미하는 아프리칸스어다. 남아공에서의 극단적인 인종분리, 인종차별정책을 가리킨다. 특히 1948년부터 철저히 시행해 1991년에 완전히 폐지되었다.

19. 블레즈 파스칼 1623~1662년. 프랑스의 수학자이자 종교사상가다. 불과 열여섯에 《원뿔곡선 시론》을 저술하고 파스칼의 원리를 밝혔다. 다른 저서로 《팡세》《프로뱅시알》 등이 있다.

20. 비정부기구(NGO) 정부에서 독립한 사적 단체나 영리를 목적으로 하지 않는 것과 같은 기본적 특징이 있다. 특히 유엔 NGO는 유엔의 경제사회이사회에 대해 협의 자격을 가진 민간 단체를 가리킨다.

21. 대인지뢰전면금지협약 모든 대인지뢰를 폐기할 것을 목적으로 한 조약이다. 체약국이 이미 가지고 있는 대인지뢰도 4년 이내에 폐기하는 것이 의무화되어 있다. 1999년에 발효했다.

22. 라빈드라나트 타고르 1861~1941년. 인도의 시인, 사상가다. 시집《기탄잘리》로 아시아인 최초로 노벨문학상을 받았다. 독립운동 등 사회적 활동에도 참여했다. 현대 인도의 사상계에 많은 영향을 미쳤다.

제8장 전쟁이 없는 세계를 - 유엔과 세계시민

1. 2004년 9월 23일자 유엔 홍보센터 보도자료.

2. 1961년 9월 25일 유엔총회에서 한 연설.

3. 이라크 전쟁 미국 등이 이라크 대량파괴무기의 파기와 강압정치로부터 이라크 민중의 해방 등 대의를 내걸고 무력을 행사한 전쟁이다. 2003년 3월 20일 영국군과 미군이 이라크를 선제 공격하기 시작해 4월 9일 수도 바그다드를 제압했다. 후세인 정권이 붕괴되었다.

4. 안전보장이사회 유엔에서 최고 권한을 갖는 주요 기관으로 그 권한은 유엔총회보다 우월해 국제분쟁 해결을 위해 필요한 군사적, 경제적, 외교적 제재를 결정할 수 있다. 미국, 영국, 러시아, 프랑스, 중국의 상임이사국 5개국과 비상임이사국 10개국(임기 2년)으로 구성되어 있다. 상임이사국은 거부권이 있다.

5. 부트로스 갈리 1922~2016년. 이집트 출신의 정치가, 정치학자다. 카이로대학교와 프린스턴대학교, 파리대학교 등에서 국제법을 연구했다. 외무장관과 부총리를 거쳐 1992년부터 1996년까지 유엔 사무총장을 역임했다.

6. 국제앰네스티 1961년에 창립한 국제적 인권옹호단체다. 유엔이나 유럽평의회와 협의할 수 있는 자격이 있는 NGO다. '세계인권선언'을 지키는 사회 실현을 목표로 폭넓은 활동을 펼치고 있다.

7. 옥스팜 긴급구호, 개발협력 등을 위해 활동하는 국제 NGO다. 1942년에 영국에서 설립된 '옥스퍼드 기아구제위원회'를 개칭해 제2차 세계대전 이후 활동 무대를 세계 각지로 넓혔다. 연합체 '옥스팜 인터내셔널'로서 국제회의 등에서 정책제언도 제안하고 있다.

8. 그린피스 1971년에 설립한 국제 환경보호단체로 본부는 네덜란드 암스테르담에 있다.

9. 아나톨 라포포트 1911~2007년. 미국의 심리학자로 게임이론을 정치에 응용한 미국의 평화 연구 창시자 중 한 사람이다.

10. 이마누엘 칸트 1724 ~1804년. 독일의 철학자이자 쾨니히스베르크대학교 교수다. 경험론적 관점에서 독자의 인식론을 펼쳐 기존의 형이상학 방식을 비판했다. 또한 도덕의 원리를 양심의 자립에서 추구하고 그 위에 종교를 자리매김했다. 주요 저서로《순수이성비판》을 비롯한 '삼대 비판서' 외에《영원한 평화를 위해》등이 있다.

11. 헤이그평화회의 러시아 황제 니콜라이 2세의 제창으로 1899년과 1907년 두 번에 걸쳐 개최한 국제회의로 기존의 전쟁법칙의 수정, 특정 무기 사용금지, 상설 중재재판소 설치 등을 도입했다.

12. 파리부전조약 1928년에 체결된 다국간 조약이다. 국제분쟁을 해결하는 수단으로 전쟁 포기와 평화적 수단에 의한 분쟁 해결을 규정했다. 당초에는 유럽과 미국을 비롯한 강대국과 일본 등 15개국이, 이후에는 60여 개국이 서명했다. 처음 미국과 프랑스의 협의에서 시작한 데서 켈로그 미국 국방장관과 브리앙 프랑스 외무장관의 이름을 따 '켈로그·브리앙 조약'이라고도 부른다.

13. 엘리스 볼딩 1920~2010년. 노르웨이 출신의 평화학자이자 사회학자다.

3살 때 미국으로 이주했다. 경제학자인 케네스 볼딩 박사와 결혼해 육아와 연구를 병행해 1969년 미시간대학교에서 사회학 박사 학위를 취득했다. 평화학 이외에 '가정사회학' 연구로도 잘 알려져 있다. 국제평화연구학회 사무총장, 유엔대학교 이사, 다트머스대학교 명예교수 등을 역임했다. 이케다 SGI 회장과 나눈 대담집으로 《평화의 문화가 빛나는 세기를 향해!》가 있다.

제9장 과학자의 책임과 종교의 사명

1. 호세 오르테가 이 가세트 1883~1955년. 스페인 철학자이자 문명평론가다. 서구의 합리주의 정신을 비판했다. 니체(1844~1900)의 영향을 받아 '생(生)의 철학'의 관점에서 관념론을 이겨내야 한다고 설했다. 주요 저서로 대중 현상을 처음 철학적으로 고찰해 주목받은 《대중의 반역》 이외에 《현대의 과제》 등이 있다.

2. 《인생지리학》 저자 마키구치 쓰네사부로(1903년). 일본의 지리학 연구에 획기적인 변화를 안겨주었다고 일컫는 작품이다. 인간 생활과 지리의 관계를 독자적 시점에서 고찰하고 그 인과관계에서 인간의 가치적인 삶을 사색했다.

3. "남을 위해 불을 밝히면 내 앞이 밝아지는 것과 같다." 《니치렌 대성인 어서전집》 1598쪽

4. 《니치렌 대성인 어서전집》 215쪽

5. 데시데리위스 에라스뮈스 1469?~1536년, 네덜란드 인문주의자다. 파리대학교에서 공부한 뒤 유럽 각지를 차례로 방문하면서 토머스 모어 등과 친교를 맺고 수많은 저작을 남겼다. 르네상스시대의 학문, 문화를 북유럽에 보급한 최대 공로자다.

제10장 후계의 청년들에게 보내는 메시지

1. 글로벌 거버넌스 환경문제와 테러, 분쟁 등 국가 주체만으로는 해결할 수 없는 문제들에 관해 국가와 국제기관, 비영리단체(NPO) 등 비국가주체가 공동으로 규제와 제도를 재구축하여 대처하는 접근방법이다.

2. 니가타현 주에쓰 지진 2004년 10월 23일, 니가타현에서 발생한 대지진으로 오지야시와 나가오카시를 중심으로 51명의 사망자가 발생했다.

3. 니치렌 1222~1282년. 가마쿠라 시대의 승려로 히에이산에서 배운 뒤, 1253년에 입종선언(立宗宣言)을 했다. 남묘호렌게쿄(南無妙法蓮華經)의 제목을 본존으로 하여 각지에서 홍교했다. 두 차례 유배되는 등 여러 박해를 받았다. 막부에 〈입정안국론〉을 제출하는 등 다른 종교를 엄하게 파절했다.

4. 《니치렌 대성인 어서전집》 1190쪽

5. 《니치렌 대성인 어서전집》 750쪽

6. 《니치렌 대성인 어서전집》 1253쪽

7. 《구사론》에서 인용. 소승불교의 대성서인 《대비바사론》의 강요서. 법상종의 기본 교학서다.

8. 잭 런던 1876~1916년. 미국 작가로 저서로는 《황야의 절규》 《흰 엄니》 등이 있다.

9. 로맹 롤랑 1866~1944년. 프랑스 작가이자 사상가로 파리대학교 등에서 음악사를 가르치면서 희곡 《성왕 루이》 《이리들》 등을 발표했다. 《베토벤의 생애》 《미켈란젤로의 생애》 등 뛰어난 전기도 썼다. 대표 장편소설 《장 크리스토프》는 교양소설로서 전 세계에서 애독하여 1915년 노벨문학상을 수상했다. 평생 전쟁을 반대하고 평화를 주장했다. 1923년에 발표한 《마하트마

간디》에서는 비폭력과 불복종 사상에 공명했다.

10. 스티븐 호킹 1942~2018년. 영국 물리학자이자 케임브리지대학교 루카스기념강좌 교수를 역임했다. 상대성이론과 양자역학을 결합한 새로운 우주 생성의 이론을 설했다. 저서《시간의 역사》등이 있다.

11. 근위축성 측색경화증 근육을 움직이는 운동신경세포만 퇴화해 점점 몸을 움직일 수 없게 되어 근육이 줄고 위축되는 병이다.

12. 마틴 리스 1942~. 영국 천문학자로 지난 2004년에 케임브리지대학교 트리니티칼리지 총장을 역임했다.

13. 리처드 로즈 1937~. 미국 작가로 1986년 저서《원자폭탄 만들기》로 퓰리처상을 수상했다.

14. 퍼그워시회의 학생그룹 1979년 캘리포니아주립대학교 샌디에이고캠퍼스에서 발족했다.

15. 넬슨 만델라 1918~2013년. 남아프리카공화국의 정치가다. 아프리카민족회의 지도자로서 아파르트헤이트(인종분리정책)에 저항하고 흑인의 권리획득운동을 지휘했다. 1962년에 체포된 후 1990년에 석방되었다. 1994년, 처음으로 모든 인종이 참여한 선거에서 아프리카민족회의가 제1당이 되어 대통령으로 취임했다. 1993년에 노벨평화상을 수상했다.

지구 평화를 향한 탐구

초판 1쇄 | 2020년 9월 21일

지은이 | 이케다 다이사쿠·로트블랫

발행인 | 이상언
제작총괄 | 이정아
편집장 | 조한별

디자인 | 김윤남

발행처 | 중앙일보플러스(주)
주소 | (04517) 서울시 중구 통일로 86 4층
등록 | 2008년 1월 25일 제2014-000178호
판매 | 1588-0950
홈페이지 | jbooks.joins.com

ISBN 978-89-278-1152-7 03320

· 책값은 뒤표지에 있습니다.
· 잘못된 책은 구입처에서 바꿔 드립니다.
· 이 도서의 국립중앙도서관 출판예정도서목록(CIP)은 서지정보유통지원시스템 홈페이지(http://seoji.nl.go.kr)와 국가자료종합목록 구축시스템(http://kolis-net.nl.go.kr)에서 이용하실 수 있습니다.(CIP제어번호 : CIP2020036785)

중앙북스는 중앙일보플러스(주)의 단행본 출판 브랜드입니다.